煤矿生产安全管理系统中多方博弈与控制策略

路荣武　于灏　王家坤　王新华　著

应 急 管 理 出 版 社

· 北　京 ·

内 容 提 要

煤矿生产安全管理系统是复杂的大系统，利益相关者之间的博弈行为与策略选择具有极大的动态性。在对利益相关者群体调查分析的基础上，本书建立了煤矿生产安全管理系统中的多方博弈模型，分析了利益相关者之间的互动关系及策略选择，研究了人的不安全行为动态性的控制策略，并确定了煤矿生产安全管理制度与措施的调整方向。煤矿生产安全管理系统中多方博弈模型的建模与分析等内容是博弈论在安全管理中的实践和应用，多方博弈的分数阶演化模型是分数阶微积分理论在安全管理中的一次探索。

本书相关内容和结论可供科研工作人员、煤矿生产安全管理人员以及高校师生借鉴，相关调查分析数据也可以供广大读者参考和论证。

前　言

　　煤矿生产安全管理系统是一个复杂的大系统，它涉及自然环境、人为因素、机械设备等多方面因素的影响，涉及多个处于不同层次的利益相关者群体。在这一系统中安全投入与生产投入、职工利益与安全效率、煤矿职工与管理人员、安全效率与生产效率等，都是相互关联、相互依存，又相互矛盾的关联体。这使得煤矿生产安全管理始终处在多个利益相关者无限互动的群体博弈之中。这些此消彼长的利益群体都想获得利益最大化。由于煤矿生产环境与条件不断变化，以及企业与职工目标的动态性，使得安全管理过程中利益相关群体的博弈也具有动态性，同时体现了煤矿生产安全管理具有复杂性的特点。

　　煤矿生产安全管理系统的复杂性和煤矿生产安全管理的长期性、重复性以及外部因素的动态变化，会影响利益相关者的博弈策略选择。只有通过充分研究其内部的运行规律，才能够采取有针对性的措施对系统进行管理，才能建立长期有效的煤矿生产安全管理政策和措施的调控机制。采用演化博弈理论结合动力系统、相位图分析等理论方法，研究利益相关者策略选择的稳定性和影响因素，是寻求煤矿生产安全管理制度长期有效性的关键。

　　虽然博弈理论在煤矿安全管理中被广泛应用，但已有研究大多将博弈理论模型简化为只有两个参与人博弈的情形。本书在对利益相关群体进行系统分析的基础上，建立由利益相关群体广泛参与的多方博弈模型，并对其进行理论分析。多方博弈模型的模拟求解和数值仿真借助于相位图分析和时间序列图方法进行，能够清楚地描述博弈模型动力系统的稳定性以及影响因素作用机制。

分数阶微积分理论是刻画自然科学与工程问题中非线性现象的方法，是整数阶微积分理论的拓展。借助分数阶微积分相关理论与数值计算方法，本书建立了煤矿安全管理中的分数阶多方博弈模型并进行模拟求解，相关理论方法为分数阶微积分理论在安全管理中的应用提供了新方法和途径。

演化博弈模型的结论表明，在当前的模型假设条件下，煤矿安全监管多方博弈模型不存在进化稳定策略，多方博弈模型的动力系统不满足自控性。针对研究煤矿安全管理过程的长期重复性，本书通过对各利益相关者安全行为选择以及策略选择稳定性的影响，为管理制度与措施的调控寻找切入点。

煤矿安全管理制度与管理规则的一个重要作用就是抑制煤矿生产中不安全行为的模仿和扩散。为了控制博弈行为的动态性，克服以往研究中只针对安全事故的分析来研究管理制度的缺陷，本书通过激励性薪酬（成本动态化）和动态惩罚机制等激励性奖惩措施，研究煤矿安全管理中利益相关者策略选择的稳定性和影响因素，以揭示煤矿安全系统的内在机制和运行规律，寻求控制博弈行为波动性的策略和方法，建立安全管理制度的调控机制和调整方向，并以此提出在煤矿企业建立激励性薪酬管理体系、进行现代化财务管理等建议。

本书由路荣武拟定撰写提纲，并负责最后统稿。具体分工是：路荣武撰写第一、二、五、六、七、八章，王家坤撰写第三章，王新华撰写第四章，于灏撰写第九章。在本书的出版过程中，山东科技大学经济管理学院、数学与系统科学学院和科研处的领导和同事都给予了大力支持，在此深表感谢！

虽然作者在本书的撰写过程中尽力做到求实创新，但限于水平有限，书中难免有纰漏之处，请广大读者批评指正。

作　者

2019 年 5 月 20 日于青岛

目　　录

1 绪　　论

煤矿安全生产关系到国家的能源安全，是当前国内外普遍关注的经济及社会问题，加强煤矿安全管理是国内外学者及各级政府的共识。近年来，我国煤矿安全生产水平持续稳定提升，煤矿安全监管监察执法工作取得良好成绩。但是，我国煤矿安全生产形势仍不容乐观，煤矿安全事故时有发生。与国际先进水平相比，我国煤矿安全生产的各项指标仍然比较落后。1993—2000年间，美国整个煤炭行业未发生死亡人数超过 3 人的事故。2014年，我国共上报（有人员伤亡或失踪）煤矿安全事故 41 起，死亡 237 人，其中死亡 10 人以上的安全事故 10 起。2015 年，我国共上报（有人员伤亡或失踪的）煤矿安全事故 28 起，死亡 189人，其中死亡 10 人以上的安全事故 5 起。2016 年，受到全球煤炭市场价格上扬影响，煤矿生产企业都纷纷进一步提高煤炭产量，使得煤矿安全压力大增，违法生产、违规操作等现象屡禁不止，各类煤矿安全事故包括水害和瓦斯突出等重大事故多发。各地进行资源整合的矿井发生事故的现象更加突出，甚至国有大型矿井的事故发生量也有上升迹象。2016 年全年共上报煤矿安全事故 197 起，死亡 451 人，其中发生死亡 10 人以上的安全事故 8起。2016 年发生事故最多的月份为 11 月，共发生 28 起事故，正是煤价飙涨的时期。

2016 年 10 月 31 日，重庆市永川区金山沟煤业有限责任公司发生特别重大瓦斯爆炸事故，造成 33 人死亡、1 人受伤，直接经济损失 3682 万元；2016 年 12 月 3 日，内蒙古自治区赤峰宝马矿业有限责任公司发生特别重大瓦斯爆炸事故，造成 32 人死亡、20 人受伤，直接经济损失 4399 万元。经国务院调查组调查认定，两起事故均为安全生产责任事故。金山沟煤矿和宝马煤矿长期越界违法组织开采，在违法开采区域采用国家明令禁止的"巷道式采煤"工艺，拒不执行监管部门下达的监管指令，利用假图纸、假资料等手段逃避安全监管、违规操作。重庆市及永川区人民政府有关部门未认真履行职责，对金山沟煤矿超层越界行为查处不力，违规通过金山沟煤矿复工复产验收；内蒙古自治区、赤峰市及元宝山区人民政府有关部门对宝马煤矿长期越界违法开采行为失察，组织开展安全检查不力，违规通过采矿许可证年检。

此类事故案例并不少见，管理混乱、违规操作、政策执行不力及监管失位等已经成为影响煤矿生产安全的突出因素。有些煤矿生产企业无视安全事故血的教训，无视国家关于安全生产的决策部署和要求，还在违法违规生产；一些地区政府安全生产监管部门对安全生产大检查责任不落实、组织不得力、落实不到位，没有把各项监管措施落实到企业，落实到矿井，落实到岗位，精神状态和工作力度不符合应对当前严峻形势的要求。这些问题的出现，正是由于煤矿生产的利益相关各方针对生产利益、安全效益等进行激烈博弈的结果。

1.1 研究意义

通过经济体制上的改革，我国经济发展取得了巨大成就。然而，在市场经济建立的各个阶段中，不同社会群体的获益程度存在差异。不同社会阶层之间利益诉求的差异性，使得人们在追求利益重新分配的过程中形成不同的利益群体。利益群体是指对特定的利益对象处于同等地位的利益相关者形成的社会群体，他们拥有同样的利益目标和利益追求策略。人们在追逐自己利益时，难免要与其他利益群体发生利益冲突或矛盾，利益群体间的博弈促使利益在各方之间进行重新分配。不仅仅是煤矿生产安全管理问题，现实社会中的许多问题都可以归结于多方利益群体的博弈问题。煤矿安全管理系统涉及多个利益相关者，如地方政府、监察部门、煤炭生产企业及生产工人等。这些利益相关者有着不同的利益诉求，从而形成了既相互依存、又相对独立，既相互统

一、又相互对立的矛盾体。投入和收益差异导致利益相关各方在监管行为上博弈，监管博弈过程实质上就是监管利益再分配过程。只有利益在相关利益群体中进行合理分配，才能保持煤炭生产的稳定性和安全管理的可持续性。

本书的研究目标是通过对煤矿生产安全管理中政府监管部门、投资方、企业管理层和煤炭生产工人等利益相关者群体针对煤矿安全责任、生产效益的博弈过程进行定量描述并系统分析，研究各利益相关者的博弈行为和利益最大化目标下的最优策略选择，分析利益主体的博弈行为、策略选择稳定性以及对煤矿生产安全管理运行的影响，以确定煤炭生产企业生产安全管理的最优决策。

搞好安全生产工作，对于促进煤炭生产、提高生产效率、实现效益最大化乃至社会的稳定繁荣具有重大意义。煤矿安全生产是安全生产管理的重要领域，煤炭采掘业也是我国当前安全生产事故发生率比较高的行业，因此煤矿生产安全事故的频繁发生引起了党和国家的高度重视。根据国务院办公厅 2017 年 1 月 12 日颁发的《安全生产"十三五"规划》的要求，到 2020 年煤矿百万吨死亡率比 2015 年下降 15% 以上，目标任务十分艰巨。国家出台了许多加强煤矿安全管理的相关法律法规，以规范煤矿安全生产的相关行为，虽然取得了明显的成效，但是仍然没有达到党和政府的期望与要求。

系统分析煤矿生产安全管理中各利益相关者的利益诉求和行为动态，是制定相关管理政策及措施的理论基础。本书从煤矿生产安全管理中利益相关者的多方博弈策略分析入手，对多方利益群体的博弈过程进行定量描述并系统分析，提出解决煤矿生产安全管理中多利益博弈的理论与方法体系，建立数学模型，寻求煤矿生产安全管理中各利益群体的最优策略并研究其博弈策略选择的稳定性，找出各利益相关者的内在关联关系，揭示煤矿生产安全管理的内在规律，提出合理有效的煤矿生产安全管理制度与措施的控制策略。煤矿生产安全管理中多利益群体博弈模型的相关结论，可以引导煤矿生产实践中利益相关群体的博弈行为，提升煤矿安全生产的管理效率和管理水平，也可以为政府部门制定有关政策法规和企业的管理决策提供理论依据和参考。

本书首先系统分析煤矿生产安全管理中利益相关者的关联性和行为策略动态，建立利益相关者的多方博弈模型并进行求解，研究各利益相关者的最优博弈策略选择；在分析博弈策略选择稳定性及其影响因素的基础上，构建安全管理制度与措施的调控机制，以理顺安全管理政策的制定者与执行者的关系，使得安全管理理论进一步系统化。

本书的研究不仅可以从系统的内部揭示煤矿生产安全管理的复杂性和系统内部各利益群体之间的内在联系，为煤矿生产安全管理理论的研究提供新的思路和方法，而且对煤矿生产安全管理理论体系进行有益的补充。相关理论分析和研究是煤矿生产安全管理制度与政策制定的基础和依据。

所以，本书的研究不仅具有重要的理论意义，同时通过本研究还可以清晰地看出煤矿生产安全管理中各利益主体的相互关系，避免了煤矿生产安全管理制度制定过程中的盲目性，也使本研究成果具有重要的现实意义和实践价值。本研究为煤矿生产安全管理中各项安全管理制度的设计与调整提供理论依据，使安全管理措施更有针对性；也为政府部门制定和修改煤矿安全管理制度与法规提供理论支撑，促进我国煤矿生产安全管理水平的提高，从而实现国家安全生产目标。

1.2 国内外研究现状及发展动态

本书研究内容中，理论部分主要是煤矿生产安全管理中利益相关群体的多方博弈模型的建立与模型分析、模型求解；应用部分主要是利用多方博弈模型研究利益相关者群体的博弈策略选择及其稳定性，博弈行为动态性的控制，以及煤矿安全监管制度与措施的调控等内容。因此，本部分内容分三部分展开综述：煤矿生产安全管理；博弈理论；博弈论在煤矿生产安全管理中应用。

1.2.1 煤矿生产安全管理方面

通过对近年来煤矿生产安全管理方面的文献进行梳理，相关研究大致可分为三个层面：①宏观上的理论体系与安全管理体制研究；②客观上的风险管控与应急管理研究；③主观上的不安全行为与监管策略研究。

1. 宏观上的煤矿安全管理的理论体系以及管理体制研究

近年来，煤炭生产的主要国家逐步将研究重点放在煤矿安全监督的立法与监管制度完善上。国内外许多学者借鉴国际先进的煤矿生产安全管理经验，在我国煤矿生产安全管理的发展现状、体制机制到煤矿事故案例分析等方面都有不同程度的研究。Homer 等（2009）研究了我国煤矿安全生产状况，认为政府对煤矿生产管理政策实施不力、对机构行为的监督不足和采矿工人生产素质较低是中国矿难事故高发的主要原因。Fisman 等（2017）研究了我国煤矿企业事故死亡率与政府企业关联度之间的关系，发现致命事故在政府关联公司产生负回报，并建议相应的监管激励措施。李新娟（2012）分析了美国在煤矿安全事故处于高发期、稳定期及下降期中不同的安全管理策略，发现煤矿安全生产水平具有阶段性，通过完善法律法规可加快煤矿安全生产水平的提高。徐礼余等（2014）借鉴国外发达国家煤矿安全管理方法，提出了政府、企业与安全监理方三方共管的安全管理模式。李红霞等（2014）研究表明，煤矿生产要实现零死亡、零人身损伤和零职业病发病率，需要树立先进的安全理念，健全安全管理体系，配置素质过硬的人才队伍，并且形成卓越的企业安全文化。

宏观上的安全立法理论体系建设，是煤矿安全生产管理的纲领与前瞻性目标，但有时并不能在细节上贴近生产实际。因此，部分学者以企业先进管理经验分析或者事故调查研究等来研究煤矿生产安全管理规律，通过对我国煤矿生产安全管理现状问题的分析，找出存在问题的防控策略，进而提出安全管理模式的改进途径。在这方面，国外学者也进行了有针对性的研究。Sinclair

（2012）以 5 个企业的安全管理体系为例，研究了澳大利亚煤矿生产中职业安全与健康管理体系，分析了其对生产安全的重要影响。Zanko（2012）针对不同组织中不同的安全生产过程，研究了安全管理体系中干预措施的有效性。Onder（2014）利用对数线性分析对事故记录的分类，研究了井下职业伤害的发生对煤矿生产非致命伤害概率的影响。Permana（2015）对印度尼西亚煤矿发生安全事故进行调查研究，发现生产工人安全意识淡薄，以及职业健康和安全培训方法不当是矿山事故的主要原因。

2. 从煤矿生产经营环境、管理人员的多任务特征等角度出发，研究煤矿生产中客观存在的风险源辨识、风险评价以及应急管理等，寻找煤矿事故发生的内在致因和解决对策

事实上，我国的确存在着煤炭资源分布不平衡、煤炭储存地质条件复杂、开采条件差以及近年来煤炭行业不景气等客观条件，这无疑会影响到煤矿从业人员的安全生产与安全管理的主动性和积极性。

有许多文献从煤矿生产的实际和煤矿管理人员的多任务特征[①]出发，通过研究煤矿安全管理中的风险预控和应急管理，对安全风险能力的评价与应急管理体系进行研究，以提升安全管理水平。

其中，Kowalska（2014）研究了煤矿生产过程中的环境风险和社会风险管理问题，通过对 1993—2012 年间波兰的安全事故案例进行分析，从而识别和评估了风险的来源。孟现飞等（2013）基于危险源理论，构建事故致因机理模型，提出煤矿 3 级嵌套安全管理模式及其 PDCA 实施程序，指出危险源辨识和风险控制过程是安全风险应急管理模式运行的核心。何叶荣等（2016）提出基于网络层次分析法（Analytic Network Process，ANP）与序参量法的安全应急管理耦合协调度评价模型。曹庆贵

———————

① 作为煤炭企业的管理人员，至少有两个任务：生产管理和安全管理，而其需要合理分配每项任务的投入。

6

等（2016）根据煤矿企业隐患排查治理工作实际需要，利用信息技术和网络技术，提出了煤矿事故隐患管理与预警方法，设计了相关软件，开展隐患管理工作。曹庆贵等（2017）分析了煤矿企业安全生产运营的主要风险因素，确定了煤矿安全生产运营中的六大主要影响因子，并对此提出了在企业经营方面、生产技术方面、安全文化建设方面及企业管理方面的全面风险管理预控措施。卞大宁（2017）面对基层单位工期非常紧，任务非常重的特点，提出了"攻心、攻量、防安全事故、防标准下滑"等一系列措施，尝试找出处于某些特定环节的利益相关者群体安全生产主动性不足的原因。吴刚（2017）在综合分析我国煤矿面临的开采条件复杂、管理机制不协调、企业竞争公平性、职工受教育程度低、煤炭价格下降等制约瓶颈的基础上，指出了煤矿生产与管理变革的方向。

3. 为保证安全立法与管理实践的紧密结合，部分学者研究了生产者和管理者主观上的安全意识与不安全行为，并对煤矿安全监管效果的影响进行了深入分析

傅贵等（2014）通过研究得出结论，人的不安全行为是事故发生的主要原因，而组织行为错误是事故发生的主导原因；针对矿工不安全行为分类模糊的问题，结合煤矿生产的实际以及矿工群体特征，从不安全行为产生的原因出发，将不安全行为分为系统失误引起的不安全行为、行为失误引起的不安全行为以及管理失误引起的不安全行为三大类。刘晓君（2013）从政策执行的视角透析我国煤矿安全事故频发的原因，认为煤矿安全政策的执行问题，是煤矿安全事故频发的重要原因。Duma（2014）研究了煤矿生产中安全与健康以及劳动风险因素的控制策略。Mahdevari（2014）研究了工人健康相关的管理控制措施和支持决策的影响因素，以及安全与成本的平衡问题。曹庆仁（2014）在分析矿工行为、管理者行为及其认知心理过程的基础上，构建了基于行为的煤矿安全管理系统模型。陈红等（2014）基于多主体建模仿真方法对矿井作业人员行为选择系统进行建模，调研获

取基础数据，仿真矿井作业人员行为选择的宏观涌现现象，分析煤矿不安全行为惩罚制度对作业人员行为选择的作用效果。

还有一些文献从管理科学方法（多级模糊综合评价、层次分析法、序列二次规划、灰色关联分析法、目标规划、支持向量机、大数据技术等）角度出发，研究了煤矿生产安全管理中的结构优化、应急管理能力评价优化问题，探讨相关方法在煤矿生产安全管理中的应用前景，助力安全管理水平的提升。

总之，虽然国内外学者对煤矿生产安全管理相关研究的出发点可能不同，但这些研究相辅相成、互为补充，在不同层面上共同推动了煤矿生产安全管理理论体系和安全管理制度的不断完善。因此，要想提高煤矿生产安全管理水平和安全监管效率，除了宏观上的安全管理理论体系的建设与完善之外，还要一方面克服煤矿生产中客观存在的困难，包括从煤矿生产环境方面进行危险源致因干预、应急管理等；另一方面还要从煤炭生产安全相关人员的主观能动性方面出发，分析不安全行为、监管策略、安全投入等对煤矿生产安全管理的影响。本书研究即是选择从煤矿生产安全管理中的各个利益相关者的角度出发，分析安全监管过程中的行为策略选择及行为选择的稳定性，找出不安全行为的控制策略，为安全管理制度、措施的制定与调整提供理论依据。

1.2.2　博弈理论方面

近年来，博弈论的理论研究与应用研究都得到了飞速发展。许多研究丰富和拓展了博弈论在经济社会科学中的应用领域。Wallace 等（2015）定义了随机动力系统中的稳定性概念，证明了它与传统的 ESS 和动态系统中吸引子的概念不同，并提出随机稳定集的应用方向。Pacheco 等（2014）将复杂的生化信号转化为不同类型细胞的成本和收益，定义了一个博弈回报矩阵，用于研究癌细胞的分子动力学，并提出干预措施的类型和时间。Mcnamara（2013）提出了生物学中演化博弈模型可以拓展应用的途径，包括个体差异与相互作用、生态背景、个性特征、行为的动机等方面。Leenheer 等（2016）推广了 ESS 的经典概念，利用演化博弈论研究移民的部分迁移与人口密度之间的依赖性，找到了移民的最优分配策略。Steidinger 等（2014）利用生物系统共存论中有关于欺骗和歧视的互利共生理论，利用演化博弈论研究植物菌根共生，分析土壤营养和中间宿主对植物菌根种群动态性的影响。Estalaki（2015）等利用演化博弈论通过设置惩罚函数研究了水污染监控治理中的废水处理策略。Loumiotis 等（2014）利用演化博弈理论研究了移动回传网络（Mobile Backhaul Transport Network）对基站的资源分配问题，建立了用户与基站之间的相互作用模型，利用复制子动态方程研究了有关无线和光网络集成的概念解决方案的渐进稳定性。Greiner 等（2016）研究了进化算法（Evolutionary Algorithms，EAs）在生物进化建模、人工智能等方面的应用，认为进化算法往往会对所有类型的问题都有很好的近似解决方案。

当前，基于完全信息和完全理性条件下的经典博弈论依然广泛应用于决策分析、密码学、信息计算、商业伦理等自然社会科学各个领域。而演化博弈论似乎拥有更开阔的研究和应用空间，在生物种群进化、分子生物学、社会网络传播动力学、行为动力学、动态资源分配、数据处理与算法优化等研究热点领域都有应用。

1.2.3 博弈论在煤矿生产安全管理中应用方面

随着博弈论在社会经济与生产管理中的广泛应用，许多学者意识到博弈行为研究更能有效地发掘安全生产管理的本质规律。

博弈论主要研究公式化了的激励结构间的相互作用，是研究具有斗争或竞争性质现象的数学理论和方法，在煤矿生产安全管理中也有广泛应用。大量文献借助博弈论各个分支的理论方法，研究了安全管理中的中引发生产安全问题的因素，并提出相应的应对策略。这其中，有些文献利用不完全信息静态博弈研究了双方策略和多方参与的不完全理性博弈问题。有些文献则是从有限理性角度出发，运用演化博弈论研究生产中的安全管理问题。张国兴（2013）运用博弈方法论证煤炭生产企业安全生产监管无限次博弈中，企业进行安全生产投资的收益大小对企业策略选择的影响。张炎亮（2014）基于 Cournot 寡头竞争模型和安全服务市场化理论，对实施安全精细化管理的必要性进行了相关的博弈分析。谭波（2014）将博弈理论运用于安全管理者和员工间的激励机制，研究了"重处罚轻激励"问题。李爽（2010）等通过对我国煤炭生产企业安全监管中各相关者的收益和损失分析，运用静态和动态博弈分析方法，研究了监管机构与煤炭生产企业、安全管理部门与生产部门之间的合作博弈行为，以及实现博弈均衡的条件。杨涛（2012）基于博弈论理论研究了煤矿企业和地方政府及安全监管部门之间的博弈，分析了管理环境中引发安全生产问题的因素，并提出相应的应对策略。白刚（2013）分析了煤矿安全管理所涉各方之间的博弈关系，提出了有效抑制行业内安全事故发生可采取的措施，认为一项政策措施的制定和执行能否达到预期目的取决于博弈双方的力量大小。

对于多方参与的情形，有些研究突出了个别利益主体的行为策略，还有一些研究是将多个利益相关者的博弈关系分阶段进行分析。例如，田水承等（2013）利用演化博弈理论，构建了"矿工-安全监管者"和"矿工-矿工"之间的博弈模型，通过对模型的求解和分析，为煤炭生产企业控制矿工的不安全行为提供对策。冯群等（2013）采用不完全信息动态博弈模型，分析给定后验信念的贝叶斯均衡和分离的均衡策略，研究煤矿工人、煤矿管理者在不同状况下是否选择执行安全管理制度。

许多博弈论的重要分支在安全管理等方面都有重要应用。其中，演化博弈理论是经典博弈理论的精炼与升华，是研究利益主体策略选择的稳定性和影响因素的理想方法。例如，沈斌（2013）建立演化博弈模型和数据实验，分析了长期以来政府安监部门的监管效果问题。刘永亮（2013）等从有限理性角度出发，基于进化博弈理论，建立了煤矿生产安全管理与矿工违章行为进化博弈模型，分析了博弈双方的复制动态方程及动态进化过程，揭示了博弈双方的行为特征及其对稳定状态的影响。张建国（2013）运用演化博弈理论建立煤矿安全管理部门群体与矿工群体之间的演化博弈模型，通过对矿工违章行为所获得的额外收益、煤矿对违章行为的处罚力度及违章行为给矿工自身造成的损失等因素的变动分析来研究矿工违章行为的演化过程。卢宁（2016）以进化博弈理论为基础，对煤矿生产安全管理与矿工违章行为进行了分析，认为并不是所有的煤矿安全事故都是由于企业的安全管理措施不当引起的，更多的原因在于矿工盲目的违章行为，不仅给自己造成了危险，同时也严重损害了企业的利益。

对现有研究的评述：

（1）当前文献有关煤矿安全管理理论研究，往往是站在政策制定者角度，侧重于管理体系的构建、经验介绍、国内外制度对比等，研究成果对我国煤矿生产安全管理制度的制定具有一定参考价值。

（2）博弈论在有关煤矿安全生产利益相关者博弈过程的研究，取得了较为丰富的研究成果，国内外学者在这方面的前期研究和相关结论为本研究提供了研究方法和思路。近年来，对煤矿生产安全监管博弈的研究方法已经由完全理性、完全信息假设下的经典博弈理论，逐步过渡到以有限理性、不完全信息条件下演化博弈论。在当前研究领域，演化博弈论并结合系统动力学、动力系统的稳定性理论等理论方法，是对利益相关者的行为动力学研究的主要方法。

博弈理论发展迅速，演化博弈、动态博弈及微分博弈等理论分支的前沿研究与应用必将为煤矿生产安全管理提供新的方法和途径。多方博弈模型是研究煤矿生产安全管理中多方利益相关者互动关系及策略选择动态稳定性的理想方法，其建模与求解过程都有待于深化研究，以揭示煤矿生产安全管理的内在规律。

在煤矿安全生产多方博弈模型的基础上，研究博弈行为的稳定性及其影响因素，建立煤矿生产安全管理中制度与措施的调整机制，以提高煤矿生产安全管理制度的有效性与长效性。

2 博弈论基础知识

博弈论（Game Theory），又称对策论，是现代数学的一个新分支，也是运筹学的一个重要学科。博弈论考虑相互竞争个体的预测行为和实际行为，并研究其策略选择的优化。博弈论思想古已有之，中国古代的《孙子兵法》中就有许多博弈方法的案例。现在，博弈理论方法已经广泛应用于社会科学和自然科学各个领域。很多博弈论的重要分支在安全管理等方面都有重要应用。其中，演化博亦理论研究博弈各方策略选择的稳定性，是建立煤矿生产安全管理制度与措施及其调控机制的重要理论方法。本章内容主要是介绍博弈论的基本概念和理论知识以及一些常用博弈模型。

2.1 策略式博弈和纳什均衡

标准式博弈或策略式博弈可以总结为一个三元组 $G=(I, S, u)$。具体来讲，策略式博弈由三种元素构成：参与人集合 I、纯策略空间 S 以及收益函数 u。其中，$I=\{1, 2, \cdots, n\}$ 表示博弈方集合，n 表示博弈参与人的个数。对于每一个博弈方 $i \in I$，S_i 表示其有限纯策略集合。有时候，记号 "$-i$" 表示除参与人 i 之外的其他参与人，S_{-i} 表示除 i 之外其他参与人的策略集合，$(s'_i, s_{-i})=(s_1, s_2, \cdots, s_{i-1}, s'_i, s_{i+1}, \cdots, s_n)$ 表示保持其他参与人策略不变而参与人 i 的策略改变。各个博弈方纯策略集合的笛卡尔积 $S=S_1 \times S_2 \times \cdots \times S_n$ 被称为博弈的纯策略空间。对于任意的博弈方纯策略组合 $s=(s_1, s_2, \cdots, s_n) \in S$，令 $u_i(s) \in R$ 表示博弈方 i 对应的收益（也称支付，Payoff）。$u \in R^n$ 为博弈的组合收益函数，对于每一个纯策略组合 s，$u(s)=(u_1(s), u_2(s), \cdots, u_n(s))$。

2.1.1 完全信息的静态博弈

完全信息静态博弈是基本的博弈类型之一。参与人同时选择行动，或虽非同时但后行者并不知道先行者采取了什么具体行动；同时，每个参与人对其他所有参与人的特征、策略空间及收益函数有准确的认识。

例2.1 囚徒困境（Prisoner's Dilemma）博弈 警方逮捕两名嫌疑犯，但没有足够证据指控二人入罪。于是警方分开囚禁嫌疑犯，向双方（分别被称为行参与人和列参与人）提供以下相同的选择：若一人认罪并作证检控对方（"背叛"对方），而对方保持沉默，此人将即时获释，沉默者将判监8年；若二人都保持沉默（互相"合作"），则二人同样判监1年；若二人都互相检举（互相"背叛"），则二人同样判监6年。用表2-1概述如下：

表2-1 "囚徒困境"博弈①

策　　略		列参与人	
		合作 s_1	背叛 s_2
行参与人	合作 s_1	(6, 6)	(8, 0)
	背叛 s_2	(0, 8)	(2, 2)

对于二人博弈情形，博弈方的收益可以用收益矩阵（u_{ij}）来表示。其中，元素 u_{ij} 表示某博弈方在行参与人选择第 i 个策略并且列参与人选择第 j 个策略时的收益。在本例中，行参与人与列参与人的收益矩阵分别为 $A = \begin{pmatrix} 6 & 8 \\ 0 & 2 \end{pmatrix}$ 与 $B = \begin{pmatrix} 6 & 0 \\ 8 & 2 \end{pmatrix}$。

虽然合作对双方都有利，但是背叛确实最容易发生。这是因

---

① 考虑到获刑年限为负收益，表中有关参与人收益为最大获刑年限8减去预期的获刑年限得出的数值。

为，不论一方参与人的策略选择如何，"背叛"都是另一方的占优策略。所谓的困境指的是，个人的理性会使得每个博弈方都选择"背叛"策略，而如果同时选择"合作"，他们都会得到更高的收益。囚徒困境博弈是非零和博弈最具代表性的例子，反映个体的最佳选择并非团体的最佳选择。

该博弈问题本身只属模型性质，但现实中的价格竞争、环境保护、人际关系等方面，也会频繁出现类似情况。在政治学中，两国之间的军备竞赛可以用囚徒困境来描述。两国都可以声称有两种选择：削减武器（合作）；增加军备（背叛）。由于无法肯定对方会遵守协议，两国最终都会倾向增加军备。虽然增加军备会是两国的"理性"行为，就是以强大的军事力量来遏制对方的进攻，以达到和平，但结果却显得"非理性"（例如会对经济造成损坏等），这极具讽刺意味。

处于双边经济贸易关系中的两个国家，在关税上可以有以两个选择：达成关税协定，双方降低关税以利商品流通（合作）；提高关税，以保护自己国家的商品（背叛）。如果一个国家不遵守关税协定，单方宣布提高关税（选择"背叛"），那么另外一个国家也一定会作出同样反应（选择"背叛"）。这就引发了关税战，两国的商品失去了对方的市场，对本国经济也造成损害（共同背叛的结果）。

例 2.2（鹰鸽博弈）又称"斗鸡"博弈，甲乙两种动物为了食物进行争斗，采用两种相同的博弈策略："鹰"策略（强硬、不退让）和"鸽"策略（妥协、退让）。如果一方选择"鹰"策略而对方选择选择"鹰"或者"鸽"策略时获得的收益分别是 0 和 5；一方选择"鸽"策略而对方选择选择"鹰"或者"鸽"策略时获得的收益分别是 1 和 3。博弈方的收益矩阵分别为 $A = \begin{pmatrix} 0 & 5 \\ 1 & 3 \end{pmatrix}$ 与 $B = \begin{pmatrix} 0 & 1 \\ 5 & 3 \end{pmatrix}$。

通过收益矩阵可以看出，如果甲选择"鹰"策略，那么乙更愿意选择"鸽"策略（收益 1 大于 0）；而如果乙选择"鸽"

策略，则甲选择"鹰"策略（收益 5 大于 3）。鹰鸽博弈常用来演示大国之间的（政治、军事、经济等）博弈关系。一般来讲，大国之间的争斗总会是以某一方的妥协作为单次或者阶段性博弈的收尾（不会一定要争个你死我活、鱼死网破）。所以，惯用强硬姿态的一方往往可以占到"便宜"。如果这种博弈长期重复存在，那么每一个博弈方都会试图让对方相信（或者接受）自己的强硬姿态。

例 2.3（古诺模型） 古诺模型又称古诺双寡头模型（Cournot duopoly model），它是由法国经济学家古诺于 1838 年提出的。古诺模型是一个只有两个寡头厂商的简单模型，该模型也被称为"双寡头模型（Duopoly model）"。古诺模型是纳什均衡应用的最早版本，古诺模型通常被作为寡头理论分析的出发点。该模型阐述了相互竞争而没有相互协调的厂商的产量决策是如何相互作用从而产生一个位于竞争均衡和垄断均衡之间的结果。古诺模型的结论可以很容易地推广到三个或三个以上的寡头厂商的情况中去。

古诺模型的假定是：市场上只有两个厂商生产和销售相同的产品，他们的边际生产成本为零（$MC = 0$）；他们共同面临的市场的需求曲线是线性的，两个厂商都准确地了解市场的需求曲线；两个厂商相互间没有任何勾结行为，但相互间都知道对方将怎样行动，从而各自怎样确定最优的产量来实现利润最大化，即每一个厂商都是消极地以自己的产量去适应对方已确定的产量。

如图 2-1 所示，AB 为产品的需求曲线，总产量为 OB，假定初始时甲厂是唯一的生产者，为使利润最大，其产量 $Q_1 = \frac{1}{2}OB$（OB 一半的产量使得边际收益与边际成本相等：$MR = MC = 0$），价格为 P_1。当乙厂进入该行业时，乙认为甲将继续 Q_1 的产量，市场剩余销售量为 $\frac{1}{2}OB$，为求利润最大，乙的产量 $Q_2 = \frac{1}{4}OB$，价格下降到 P_2。乙进入后，甲发现市场剩余销售量只剩下 $\frac{1}{4}OB$，为求利润最大化，它将把产量调整到 $Q_3 = \frac{1}{2}\left(1-\frac{1}{4}\right)OB = \frac{3}{8}OB$。

甲调整产量后，乙将再把产量调整到 $Q_4 = \frac{1}{2}\left(1-\frac{3}{8}\right)OB = \frac{5}{16}OB$。

为使利润为最大，两个寡头将不断地调整各自的产量，每次调整都将产量定为对方产量确定后剩余市场容量的一半。

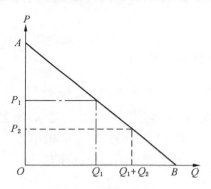

图 2-1　古诺模型市场需求曲线

这样，甲产量调整序列为：$\frac{1}{2}OB$，$\frac{1}{2}\left(1-\frac{1}{4}\right)OB$，$\frac{1}{2}\left(1-\frac{1}{4}-\frac{1}{16}\right)OB$，…；乙产量调整序列为：$\frac{1}{4}OB$，$\left(\frac{1}{4}+\frac{1}{16}\right)OB$，$\left(\frac{1}{4}+\frac{1}{16}+\frac{1}{64}\right)OB$，…。

则甲的均衡产量为 $\lim\limits_{n\to\infty}\dfrac{1}{2}\left(1-\dfrac{1}{4}\cdot\dfrac{1-\frac{1}{4^n}}{1-\frac{1}{4}}\right)OB = \frac{1}{3}OB$，乙的均衡

产量为 $\lim\limits_{n\to\infty}\dfrac{1}{4}\cdot\dfrac{1-\frac{1}{4^n}}{1-\frac{1}{4}}OB = \frac{1}{3}OB$。市场均衡产量 $\frac{2}{3}OB$。

混合策略是博弈方 i 的纯策略集合 S_i 上的概率分布。设 S_i

的维数 $dim(s_i) = m_i$，$i \in I$，则博弈方 i 的混合策略

$$x_i = (x_{i1}, x_{i2}, \cdots, x_{in}) \tag{2-1}$$

其中，x_{ih} 为博弈方 i 选择其第 h 个纯策略 s_{ih} 的概率。

混合策略集合包含纯策略，称为是退化的混合策略。非退化的混合策略指的是排除纯策略情况的那些混合策略。混合策略 x_i 中选择概率大于 0 的纯策略集合，称为 x_i 的支集（Support）：

$$C(x_i) = \{ h \in S_i : x_{ih} > 0 \} \tag{2-2}$$

混合策略单纯形定义为：

$$\Delta_i = \left\{ x_i \in R_+^{m_i} : \sum_{h=1}^{m_i} x_{ih} = 1 \right\} \tag{2-3}$$

单纯形 Δ_i 是 m_i-1 维的，其顶点 e_i^h 是 m_i 维空间的单位向量，表示博弈方 i 选择其第 h 个纯策略 s_{ih} 的概率为 1。$(e_i^1, e_i^2, \cdots, e_i^{m_i}) = E_{m_i}$。$\Delta_i$ 是其所有顶点的凸包，即有

$$x_i = \sum_{h=1}^{m_i} x_{ih} e_i^h \tag{2-4}$$

混合策略组合表示为 $x = (x_1, x_2, \cdots, x_n)$，其中 $x_i \in \Delta_i$ 为博弈方 i 的某一个混合策略。混合策略空间定义为所有混合策略组合的集合，即

$$\Theta = \Delta_1 \times \Delta_2 \times \cdots \times \Delta_n \tag{2-5}$$

2.1.2 劣势策略（占优关系与最优反应）

定义 2.1（劣势策略） 如果存在混合策略 $x_i \in \Delta_i$，使得

$$u_i(x_i, s_{-i}) > u_i(s_i, s_{-i}) \quad \forall s_{-i} \in S_{-i} \tag{2-6}$$

则纯策略 s_i 对于博弈方 i 来说是严格劣势的。如果式（2-6）中不等式以弱不等式形式成立，并且至少存在一个 s_{-i} 使得不等式严格成立，称 s_i 对于博弈方 i 来说是弱劣势策略。

定义 2.2（混合策略占优） 如果对所有的混合策略组合 $x \in \Theta$，$y_i \in \Delta_i$，$z_i \in \Delta_i$ 为博弈方 i 的混合策略，如果

$$u_i(y_i, x_{-i}) > u_i(z_i, x_{-i}) \quad \forall x_{-i} \in S_{-i} \tag{2-7}$$

则称 y_i 严格占优 z_i。如果式（2-7）中不等式以弱不等式形式成立，就称 y_i 弱占优 z_i。

例 2.4（重复剔除劣势策略的应用） 参与博弈过程的两个博弈方都采用三个纯策略（e_1, e_2, e_3），收益矩阵分别为 $A = \begin{pmatrix} 2 & 3 & 4 \\ 1 & 1 & 1 \\ 3 & 0 & 5 \end{pmatrix}$ 与 $B = \begin{pmatrix} 2 & 1 & 3 \\ 3 & 1 & 0 \\ 4 & 1 & 5 \end{pmatrix}$。

对于博弈双方来说，纯策略 e_2 被 e_1 严格占优。博弈方必定把 e_2 从博弈策略空间中剔除，此时双方的博弈策略集合变为（e_1, e_3），收益矩阵为 $A_1 = \begin{pmatrix} 2 & 4 \\ 3 & 5 \end{pmatrix}$ 与 $B_1 = \begin{pmatrix} 2 & 3 \\ 4 & 5 \end{pmatrix}$。接下来，再剔除严格劣势策略 e_1，即可求得纯策略组合（e_1, e_1）为博弈模型的唯一解。

定义 2.3（最优反应） 如果博弈方 i 的纯策略 $s_i \in S_i$ 对策略组合 $y \in \Theta$ 的收益不少于其他的纯策略，则称 s_i 为博弈方 i 的一个纯策略最优反应（又称纯最优策略）。

$$\beta_i(y) = \{ h \in S_i : u_i(e_i^h, y_{-i}) \geq u_i(e_i^k, y_{-i}) \quad \forall k \in S_i \}$$
$$(2-8)$$

由于博弈方 i 的混合策略 $x_i \in \Delta_i$ 是纯策略的凸组合，其针对策略组合 $y \in \Theta$ 的收益 $u_i(x_i, y_{-i})$ 是 x_i 的线性函数，故 $u_i(x_i, y_{-i})$ 不会大于任何一个纯策略最优反应所带来的收益。也就是说，对于 $\forall y \in \Theta$，$x_i \in \Delta_i$，

$$\beta_i(y) = \{ h \in S_i : u_i(e_i^h, y_{-i}) \geq u_i(x_i, y_{-i}) \quad \forall x_i \in \Delta_i \}$$
$$(2-9)$$

$u_i(x_i, y_{-i})$ 是 x_i 的线性函数，故纯策略最优反应的凸组合就是混合策略最优反应（又称混合最优策略），即有

$$\begin{aligned} \widetilde{\beta}_i(y) &= \{ x_i \in \Delta_i : u_i(x_i, y_{-i}) \geq u_i(z_i, y_{-i}), \quad \forall z_i \in \Delta_i \} \\ &= \{ x_i \in \Delta_i : x_{ih} = 0, \quad \forall h \notin \beta_i(y) \} \\ &= \{ x_i \in \Delta_i : C(x_i) \subset \beta_i(y) \} \end{aligned}$$
$$(2-10)$$

对于所有的博弈方来讲，组合最优反应分别定义如下（分纯策略与混合策略两种形式）：

$$\beta(y) = \beta_1(y) \times \beta_2(y) \times \cdots \times \beta_n(y) \qquad (2\text{-}11)$$

$$\widetilde{\beta}(y) = \widetilde{\beta}_1(y) \times \widetilde{\beta}_2(y) \times \cdots \times \widetilde{\beta}_n(y) \qquad (2\text{-}12)$$

2.1.3 纳什均衡的定义

1944 年，van Neumann 和 Morgenstern 的著作《博弈论与经济行为》（Theory of Games and Economic Behavior）将二人博弈推广到 n 人博弈结构，并将博弈论应用于经济领域，奠定了博弈论理论体系。1950 年，John Nash 提出了著名"纳什均衡"理论（任何有限博弈均存在混合策略纳什均衡，参见定理 2.1）以及证明过程，并于 1951 年又对合作和非合作博弈的概念做出了明确的界定。

纳什均衡（Nash equilibrium，NE）是一种策略组合，其中每一个参与人的策略是对其他参与人策略选择的最优反应。

定义 2.4 如果对于所有博弈方 i，都有

$$u_i(x_i^*, \ x_{-i}^*) \geqslant u_i(s_i, \ x_{-i}^*) \quad \forall s_i \in S_i \qquad (2\text{-}13)$$

则称混合策略组合 $x^* = (x_1^*, \ x_2^*, \ \cdots, \ x_n^*)$ 为一个**纳什均衡**。

根据混合最优反应的定义式（2-10），定义 2.4 也有如下等价表述：

定义 2.4' 如果 $x^* \in \widetilde{\beta}(x^*)$，则 $x^* \in \Theta$ 为一个纳什均衡。

也就是说，纳什均衡为组合混合策略最优反应 $\widetilde{\beta}$ 的不动点。因此，纳什均衡策略不会被严格占优，但有可能被弱占优。为了排除某些不合理的或者脆弱的纳什均衡（1987，van Damme），很有必要对纳什均衡策略进行必要的精炼。

2.1.4 纳什均衡的存在性

定理 2.1（纳什均衡存在性定理）如果每一个参与人的纯策

略个数是有限的，则 n 人博弈一定存在纳什均衡（有可能是混合策略纳什均衡，有可能不唯一）。

证明略。

定理 2.2（博弈论基本定理） 设 $s = (s_1, s_2, \cdots, s_n)$ 为参与人的纯策略组合，其中参与人 i 的纯策略 $s_i \in S_i$；混合策略组合 $\sigma = (\sigma_1, \sigma_2, \cdots, \sigma_n)$，$\sigma_i$ 和 σ_{-i} 分别表示参与人 i 的混合策略与其他人的混合策略，则 σ 是纳什均衡的充要条件是：

① 如果在 σ_i 中的两个纯策略 s_i 以及 s'_i 发生的概率 p，p' 均大于 0，s_i 和 s'_i 在应对 σ_{-i} 时候的支付相同；

② 如果在 σ_i 中，s_i 以及 s'_i 发生的概率 $p > 0$，$p' = 0$，则 s'_i 在应对 σ_{-i} 时候的支付不会超过 s_i 的支付。

证明（反证法）：假设 σ 是纳什均衡，s_i 以及 s'_i 发生的概率 $p > 0$，$p' > 0$，s_i 比 s'_i 在应对 σ_{-i} 时候的支付更高，则如果参与人以 $p+p'$ 概率选择 s_i 且不选择 s'_i 时候的支付会超过 σ 的支付。所以，σ 不是 σ_{-i} 的最优反应，这与 σ 是纳什均衡矛盾。

例 2.5（性别博弈） 大卫和安娜都深爱对方，任何时候都愿意一起行动不愿分开，但大卫想去打篮球（Ball），而安娜想去看电影（Movie），具体收益见表 2-2。

表 2-2 性别博弈中参与人的收益

策　　略		安　　娜	
		Ball	Movie
大卫	Ball	(2, 1)	(0, 0)
	Movie	(0, 0)	(1, 2)

设大卫和安娜去打篮球的概率分别为 x 和 y，则二人的收益分别是：

$$\begin{cases} u_1 = 2xy + (1-x)(1-y) = 3xy - x - y + 1 \\ u_2 = xy + 2(1-x)(1-y) = 3xy - 2x - 2y + 2 \end{cases}$$

计算可得，$\dfrac{\partial u_1}{\partial x} = 3y - 1 = \begin{cases} > 0, & y > \dfrac{1}{3} \\[2mm] = 0, & y = \dfrac{1}{3} \\[2mm] < 0, & y < \dfrac{1}{3} \end{cases}$；

$\dfrac{\partial u_2}{\partial y} = 3x - 2 \begin{cases} > 0, & x > \dfrac{2}{3} \\[2mm] = 0, & x = \dfrac{2}{3} \\[2mm] < 0, & x < \dfrac{2}{3} \end{cases}$；

所以，x 和 y 最优解分别为

$$x = \begin{cases} 1, & y > \dfrac{1}{3} \\[2mm] [0,\ 1], & y = \dfrac{1}{3} \\[2mm] 0, & y < \dfrac{1}{3} \end{cases}$$；

$$y = \begin{cases} 1, & x > \dfrac{2}{3} \\[2mm] [0,\ 1], & x = \dfrac{2}{3} \\[2mm] 0, & x < \dfrac{2}{3} \end{cases}$$

如图 2-2 所示，性别博弈的纳什均衡为 x 和 y 最优解曲线（参与人的最优反应曲线）的交点：$(0,\ 0)$，$(1,\ 1)$，$\left(\dfrac{2}{3},\ \dfrac{1}{3}\right)$，分别对应两个纯策略纳什均衡和一个混合策略均衡。二人在两个纯策略纳什均衡点处的总收益是 3，大于他们在混合策略点处的总收益 2。也就是说，如果两个人坚持他们的纯策略均衡，他们生活会更幸福。当然，这需要某一方做出长久的让步才行。

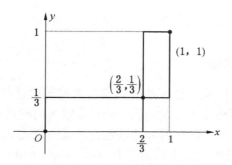

图 2-2　性别博弈的纳什均衡

例 2.6（懦夫博弈） 与"鹰鸽博弈"类似，懦夫博弈（The Game of Chicken）也可以描述采用两种相同的博弈策略两种动物为了食物争斗："鹰"策略（强硬、不退让）和"鸽"策略（妥协、退让），博弈方收益见表 2-3。这个博弈之所以被称为懦夫博弈，是因为这跟开车的司机玩的一个懦夫游戏很像。两个司机开车相向而行，距离越来越近，而由于街道太窄，没有人减速让行的话两车不能同时通过。

表 2-3　懦夫博弈中参与人的收益

参与人	鸽	鹰
鸽	(-1, -1)	(0, 2)
鹰	(2, 0)	(-2, -2)

与例 2.5 求解过程类似，我们也可以得到懦夫博弈的三个纳什均衡：$(0, 1)$，$(1, 0)$，$\left(\dfrac{2}{5}, \dfrac{2}{5}\right)$。其中，第三个是混合策略纳什均衡，表示参与人以 $\dfrac{2}{5}$ 的概率取"鸽"策略，以 $\dfrac{3}{5}$ 的概率取"鹰"策略。

2.2 完全信息的动态博弈

2.2.1 扩展式博弈

静态博弈的基本特征是所有参与人都同时选择他们的行动,例如古诺模型描述了工业组织中的进入威慑问题具有时间上的一致性。如果参与人按照博弈的进程在不同阶段进入决策,博弈过程就有了动态性。完全信息(Perfect information)的动态博弈,常常用扩展式博弈(Extensive Game)来描述。扩展式博弈的决策过程是一个树形结构,从根节点开始,沿一条路径到达叶节点结束,与静态博弈相比其构成更多:

① 博弈参与人集合 $N = (1, 2, \cdots, n)$;

② 参与人的行动次序(博弈树);

③ 参与人行动时所已知的信息:历史 h(Histories),从根节点到当前决策节点的路径中经过的决策的序列(有序集,根节点的历史为 $\varnothing$);

④ 已知信息(历史 h)后进行决策的参与人;

⑤ 每次参与人行动时的策略选择及对应的收益。

例 2.7(扩展式博弈的策略式表述) 如图 2-3 所示扩展式博弈中,参与人 1 策略集为 $S_1 = \{U, D\}$,参与人 2 的策略集 $S_2 = \{(L, L), (L, R), (R, L), (R, R)\}$。其中,参与人 2 的策略 (L, R) 表示其在参与人 1 选择 U 之后采取 L,而知道信息 D 发生后采取 R。该扩展式博弈对应的策略式博弈的收益矩阵见表 2-4。

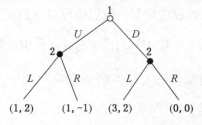

图 2-3 扩展式博弈

表2-4 策略式博弈的收益矩阵

	(L, L)	(L, R)	(R, L)	(R, R)
U	$(1, 2)$	$(1, 2)$	$(1, -1)$	$(1, -1)$
D	$(3, 2)$	$(0, 0)$	$(3, 2)$	$(0, 0)$

策略式可以表示任何复杂的扩展式博弈,而一个策略式博弈用扩展式表示可以有不同的表示形式(例如,改变参与人的行动次序时)。

2.2.2 逆向递归法与子博弈完美

逆向归纳法基于连续理性原则,是一种重复剔除被占优策略的过程。在1965年,Reinhard Selten利用逆向归纳法(也称逆向递归法,Backward induction)论证了在一般的扩展式博弈中,有些纳什均衡比其他的纳什均衡更合理,并提出了子博弈精炼均衡概念。

由于信息的完备性,每一个阶段中行动的参与人在决策时会考虑到对手随后的决策。而在博弈最后阶段进行决策的参与人没有顾虑,会直接做出最优选择。因此,可以按照与博弈顺序相反方向,逐步确定参与人在每个阶段的最优行动选择,直到博弈树的起点为止。所谓逆向递归法,就是从动态博弈的最后阶段中参与人的决策开始分析,确定该参与人的最优行动选择和路径,逐步倒推,直到第一阶段的归纳分析方法。

在图2-4所给出的博弈树中,最后一阶段参与人1进行决策,x_8 和 x_{10} 为其最优行动;考虑到参与人1在第三阶段必定选择策略"L",参与人2在第二阶段中的最优行动 x_5 和 x_7(对应策略"R");最终,参与人1在第一阶段的最优策略选择为"L"。逆向递归法求解所得参与人最优行动路径 (L, R, L),就是该扩展式博弈的一个纳什均衡。

扩展式博弈 T 的子博弈 G 是由 T 中的一个节点及其后续节点所组成的一个博弈,是原博弈 T 的一部分。如果策略组合 $\sigma =$

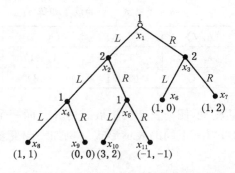

图 2-4　逆向递归法求解扩展式博弈纳什均衡

$(\sigma_1, \sigma_2, \cdots, \sigma_n)$ 是扩展式博弈 T 的纳什均衡，并且 σ 在每一个子博弈上也都构成纳什均衡，则称 σ 是一个子博弈精炼纳什均衡（子博弈完美均衡）。也就是说，如果动态博弈中各参与人的策略在动态博弈本身和所有子博弈中都构成均衡，则称该策略组合具有子博弈完美性

　　子博弈精炼纳什均衡用于区分动态博弈中的"合理纳什均衡"与"不合理纳什均衡"。子博弈完美比逆向递归法更具有普遍意义，能够将包含有不可置信威胁策略的纳什均衡剔除出去。考虑到扩展式博弈中参与人的行动或决策有时候会犯一些小的"错误"或者"颤抖"，Selten 在 1975 年中又提出了颤抖手精炼均衡这个概念，排除对于扰动不稳健的纳什均衡，使动态博弈有了重大进展。

　　在当前经济学文献中，很多动态博弈相关的文献依然选择利用逆向递归法对其进行精炼，但越来越多的学者对逆向递归法和子博弈完美的逻辑性进行质疑。这是因为逆向递归法的合理性基于参与人认定其他的参与人始终合理的行动（不管其他参与人过去曾经出现什么样的"错误"）。在博弈参与人数较多或者参与人需要行动很多次的时候，逆向递归的链条越长，就会对博弈信息结构的微小变化越敏感。另外，子博弈完美的前提假设是所有的参与人在每一个子博弈中都能预测到（同一个）纳什均衡，这一点对参与人的理性提出非常高的要求。

2.2.3　重复博弈

重复博弈（Repeated game）是指同样结构的博弈重复许多次，其中的每次博弈称为"阶段博弈"（Stage game），每次博弈的条件、规则和内容都是相同的。但考虑到利益的长期性，参与人不能像在一次性静态博弈中那样毫不顾及其他参与人的利益，要在当前阶段的博弈中考虑到不能引起其他参与人在后面阶段的对抗、报复或恶性竞争。有时，某一个参与人做出合作的姿态，可能使其他参与人在后续阶段采取合作的态度，从而实现共同的长期利益。

重复博弈的次数会影响到博弈均衡的结果。如果博弈是重复多次的，参与人可能会为了长远利益而牺牲眼前的利益，从而选择不同的均衡策略。在重复博弈中，可信性①同样是非常重要的，也即子博弈完美性仍是判断均衡是否稳定可靠的重要依据。由于长期利益对短期行为的制约作用，有一些在单次博弈中不可行的威胁（或承诺）在重复博弈中会变为可信的，从而使博弈的均衡结果出现更多的可能性。重复博弈是动态博弈中的重要内容，它可以是完全信息的重复博弈，也可以是不完全信息的重复博弈。下面我们来看一个完全信息重复博弈的例子。

例2.8（**囚徒困境重复博弈**）例2.1囚徒困境博弈中，如果博弈仅仅进行一次，"合作"是绝对的被占优策略，唯一的均衡就是双方都选择"背叛"策略。如果重复博弈的次数有限，子博弈完美要求参与人在最后一次博弈时选择"背叛"，则根据逆向递归法可知每一个阶段都选择"背叛"是唯一的子博弈完美均衡。而对于无限重复博弈，如下的无名氏定理告诉人们，"合作"是可以实现的。

---

① 可信性是指动态博弈中先行动的参与人是否该相信后行动的参与人会采取对自己有利或不利的行为。

定理 2.3（无名氏定理[①]，**Folk Theorem**）在重复博弈中，只要博弈人具有足够的耐心（贴现因子 δ 足够大），那么在满足博弈人个人理性约束的前提下，博弈人之间就总有多种可能达成合作均衡。如果参与人有足够的耐心（博弈长期重复进行），那么任何可行的个人理性收益都能在均衡中得以实现。

假设参与人 i 在第 t 阶段收益只依赖于当期行动 x^t，记为 $g_i(x^t)$。利用贴现因子来标准化未来收益，则参与人 i 的一个行动序列 $\{x^1, x^2, \cdots, x^t\}$ 的 T 期平均贴现收益为：

$$u_i = \frac{1-\delta}{1-\delta^{T+1}} \sum_{t=0}^{T} \delta^t g_i(x^t) \tag{2-14}$$

下面，我们分"一直背叛，先背叛后合作，一直合作，先合作后背叛"四种情况，对囚徒困境博弈中参与人收益进行分析和对比。

（1）"一直背叛"：

$$u_i = (1-\delta)(1 + \delta + \cdots + \delta^{t-1} + \cdots)2 = 2 \quad (i = 1, 2)$$

（2）"先背叛后合作"，假设在第 t 阶段参与人 1 选择"合作"，则参与人 2 在后来的阶段也选择"合作"（否则二人重回"一直背叛"）：

$$u_1 = (1-\delta)\big[(1 + \delta + \cdots + \delta^{t-1})2 + 0 +$$

$$(\delta^{t+1} + \delta^{t+2} + \cdots)6\big] = 2 + 4\delta^t - \frac{6\delta^t}{1-\delta}$$

$$u_2 = (1-\delta)\big[(1 + \delta + \cdots + \delta^{t-1})2 + 8\delta^t +$$

$$(\delta^{t+1} + \delta^{t+2} + \cdots)6\big] = 2 + 4\delta^t + \frac{2\delta^t}{1-\delta}$$

---

① 无名氏定理之所以得名，是由于重复博弈促进合作的思想很早就有很多人提出，以致原创者无法追溯，所以以"无名氏"命名。

② Gibbons 将贴现因子定义为"货币的时间价值"，即贴现率 $\delta = \frac{1}{1+r} \in [0, 1]$，$r$ 为收益率。张维迎将贴现因子解释为参与人的耐心程度，δ 越大说明参与人的耐心越好。贴现因子越大，则博弈的长期性越显著；贴现因子越小，博弈短期性更明显，如果 $\delta = 0$ 表示参与人完全没有耐心，则参与人完全不会考虑下一期博弈结果。

（3）"一直合作"：

$$u_i = (1 - \delta)(1 + \delta + \cdots + \delta^{t-1} + \cdots)6 = 6 \quad (i = 1, 2)$$

（4）"先合作后背叛"，假设在第 t 阶段参与人 1 选择"背叛"，则参与人 2 在后来的阶段也选择"背叛"：

$$u_1 = (1 - \delta)[(1 + \delta + \cdots + \delta^{t-1})6 + 8\delta^t +$$

$$(\delta^{t+1} + \delta^{t+2} + \cdots)2] = 6 - 4\delta^t + \frac{2\delta^t}{1 - \delta}$$

$$u_2 = (1 - \delta)[(1 + \delta + \cdots + \delta^{t-1})6 + 0 +$$

$$(\delta^{t+1} + \delta^{t+2} + \cdots)2] = 6 - 4\delta^t - \frac{6\delta^t}{1 - \delta}$$

通过以上四种情况参与人的收益对比，只要贴现因子足够大 $\left(\delta > \dfrac{1}{2}\right)$，长期重复进行的囚徒困境博弈中，双方采取"一直合作"策略才是最好的结果。这为人际关系以及两国政治经济关系的发展提供了很多启示。家人之间要互相体谅同甘共苦，朋友之间要团结互助，做事要有信用。

近年来，中美贸易争端一直不断，由美国单方面挑起的一系列贸易摩擦给中美贸易关系蒙上了浓重的阴影。特别是 2018 年以来，美国特朗普政府不顾中方劝阻，执意发动贸易战，掀起了又一轮的中美贸易争端。当前我国政府采取的应对方案是："谈，大门敞开；打，奉陪到底！"一方面，双方要在平等互利的基础上进行谈判，合作不意味着无条件地忍让和退却，那不会有长久的未来；另一方面，贸易战若开打，我们也必须做好全方位的准备，强硬反击，大力执行反制措施，只有这样才能使得对方"回归理性"。我们最终还是希望中美双方能够重新达成关税协定（重复博弈的结论告诉我们，共同合作利益最大）。这样会更有利于人民，也有利于未来。

2.3 不完全信息的静态博弈

定义 2.5 如果在一个博弈中参与人不知道其他参与人的收益

（或者对于对手的收益函数没有完全信息），则称这是一个不完全信息博弈，也称贝叶斯博弈。

在贝叶斯博弈中，至少存在一个参与人不能确定其他某个参与人的类型，从而也不能确定其收益函数。在 1967-1968 年期间，John C. Harsanyi 将不完全信息概念引入了博弈论研究中，提出了贝叶斯均衡的概念，找到了处理不完全信息博弈的方法——Harsanyi 变换。Harsanyi 将自然（Nature）作为一个参与人引入到贝叶斯博弈中。自然赋予每个参与人一个随机变量，该随机变量决定了该参与人的类型（type），也决定了各个类型出现的概率（或是概率分布函数）。在博弈进行过程中，根据每个参与人的类型空间所赋的概率分布，自然替每个参与人随机地选取一种类型。Harsanyi 的这一方法将贝叶斯博弈从不完全信息转化为不完美信息（有的参与人不知道该博弈的历史）。

例 2.9（市场进入博弈） 假设市场中存在一个企业（参与人 1，也称在位者，领导者）和一个潜在的进入者（参与人 2）。参与人 1 需要决定是否建立一个新工厂，参与人 2 决定是否进入该行业。参与人的收益见表 2-5 和表 2-6。

表 2-5　参与人 1 建厂成本低

	进入	不进入
建厂	(3, -2)	(7, 0)
不建厂	(4, 2)	(6, 0)

表 2-6　参与人 1 建厂成本高

	进入	不进入
建厂	(0, -2)	(4, 0)
不建厂	(4, 2)	(6, 0)

假设参与人 2 不知道参与人 1 建立新厂的成本是 3 还是 6

（参与人自己知道），即参与人2不知道参与人1的类型。参与人2收益取决于参与人1是否建厂（而不是建厂的成本）。令 p 表示参与人2认为参与人1为低成本的概率。如果 $p > 0.5$，参与人2认为参与人1会选择建厂（建厂成本低）就不进入，而当 $p < 0.5$ 时，参与人2就决定进入市场。

从不完全信息博弈到不完美信息博弈的转换（Harsanyi变换）如图2-5所示。

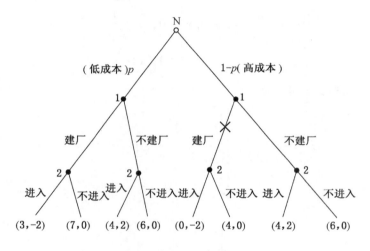

图2-5　市场进入博弈的 Harsanyi 变换

设参与人1低成本时建厂的概率为 x（建厂成本高时，"建厂"策略被严格占优，参与人1不会建厂），参与人2进入的概率 y，则二人的收益分别是：

$$\begin{cases} u_1 = p[3xy + 7x(1-y) + (1-x)(4y + 6(1-y))] + \\ \quad (1-p)[4y + 6(1-y)] \\ \quad = 6 - 2y + px - 2pxy \\ u_2 = p[-2xy + 2(1-x)y] + 2(1-p)y = 2y - 4pxy \end{cases}$$

计算可得

$$\frac{\partial u_1}{\partial x} = p(1 - 2y) \begin{cases} > 0, & y < \dfrac{1}{2} \\[2mm] = 0, & y = \dfrac{1}{2} \\[2mm] < 0, & y > \dfrac{1}{2} \end{cases};$$

$$\frac{\partial u_2}{\partial y} = 2 - 4px \begin{cases} > 0, & x < \dfrac{1}{2p} \\[2mm] = 0, & x = \dfrac{1}{2p} \\[2mm] < 0, & x > \dfrac{1}{2p} \end{cases}$$

所以，x 和 y 最优解分别为

$$x = \begin{cases} 1, & y > \dfrac{1}{2} \\[2mm] [0, 1], & y = \dfrac{1}{2} \\[2mm] 0, & y < \dfrac{1}{2} \end{cases};$$

$$y = \begin{cases} 1, & x < \dfrac{1}{2p} \\[2mm] [0, 1], & x = \dfrac{1}{2p} \\[2mm] 0, & x > \dfrac{1}{2p} \end{cases}$$

由此，我们得出了市场进入博弈的三个贝叶斯均衡[①]：（0，1），（1，0），$\left(\dfrac{1}{2p}, \dfrac{1}{2} \right)$。其中，纯策略均衡（1，0）和混合策

略均衡 $\left(\dfrac{1}{2p}, \dfrac{1}{2}\right)$ 需要在 $p \geqslant \dfrac{1}{2}$ 时才能达到，如果 $p < \dfrac{1}{2}$ 就不能达到了。

我们知道，在完全信息条件下的静态博弈中可能存在混合策略纳什均衡。有很多学者对此颇有质疑，认为混合策略在现实生活中没有合理性，人们不会按照概率分布选择自己的行动，而且"参与人的决策或行动是同时进行的，不可能抛硬币决策"。Harsanyi 指出，完全信息混合策略均衡可以理解为不完全信息"微扰动博弈"情况下纯策略均衡的极限，混合策略的选择的不确定性是由参与人类型的概率分布引起的。

不只是经济学中企业市场进入问题，不完全信息静态博弈理论还常常用来解决或者解释公共产品供给、竞标或拍卖以及古巴导弹危机等问题，应用很广泛。

2.4 不完全信息的动态博弈

不完全信息的动态博弈是指在不完全信息条件的基础上，参与人进行的行动有先后次序的重复博弈。人们掌握的信息经常是不完全的，这就需要在博弈进行过程（即动态博弈）中不断地收集信息、积累知识、修正判断。一开始，参与人首先根据其他参与人的类型及类型的概率分布，建立自己的初步判断。随着博弈过程的不断进行，该参与人就可以根据他所观察到的其他参与人的实际行动，来修正自己的判断，并做出自己的决策。

中国著名成语故事黔驴技穷，就是不完全信息的动态博弈的一个典型例子。毛驴首次到贵州的时候，老虎从来没有见过驴子，感觉很厉害（庞然大物也，以为神），就躲得远远的（这在老虎拥有的信息条件下做出的一个最优策略选择）。偷偷观察了一阵子，老虎走出树林靠近试探，毛驴大叫一声，老虎吓了一跳，急忙逃远（这也是当前最优策略选择，因为老虎发现驴子不光体型大，声音也大，它更害怕了）。后来老虎不断试探，结果发现驴子的终极武器是"蹄之"，此时老虎的最优策略选择是

"吃掉驴子"。在这个故事里，老虎通过观察毛驴的行为逐渐修正对毛驴的看法，直到看清它的真面目。事实上，毛驴的策略也是正确的，它知道自己的技能有限，总想掩藏自己的真实技能。

老虎吃掉毛驴的策略，就是所谓的"精炼贝叶斯均衡"。精炼贝叶斯均衡是完全信息动态博弈的子博弈精炼纳什均衡与不完全信息静态博弈的贝叶斯均衡的结合。精炼贝叶斯均衡是所有参与人战略和信念的一种结合。在给定每个参与人有关其他参与人类型的信息的条件下，该参与人的战略选择是最优的。每个参与人关于其他参与人所属类型的信息，都是使用贝叶斯法则从所观察到的行为中获得的。

1974 年，经济学家迈克尔·斯宾塞（A. Michael Spence）在著名的劳动力市场模型中提出信号传递模型（Signaling Model）。由于对信息经济学研究做出了开创性的贡献，Spence 荣获了2001 年的诺贝尔经济学奖。信号传递博弈包括两个参与人，一个叫领导者（也称信号发送方，sender），另一个叫追随者（也称信号接收方，receiver）。领导者是一个知道自己类型 θ（生产率或者能力）的工人，他需要选择一个教育水平 a_1（个人投资继续深造拿到更高学历，争取更高薪酬），其在教育水平投资为 $\frac{a_1}{\theta}$。假设领导者有两种可能的类型 θ_1 和 θ_2，分别表示其为能力较弱和能力较强，即有 $0 < \theta_1 < \theta_2$。设两种类型的选择概率分别为 $P\{\theta=\theta_1\}=p$，$P\{\theta=\theta_2\}=q$，（$p+q=1$）。追随者是厂商（企业领导），他知道领导者的教育水平 a_1，但不知领导者的类型 θ，他需要做出的决策是依据领导者发出的信号 a_1（拿出学历证书等证明教育水平），支付领导者的薪酬 a_2（a_1）。值得注意的是，追随者只能看到领导者发出的信号 a_1，而并不清楚其所拥有的私人信息 θ（个人能力是否真正胜任这个工作岗位）。

定义 2.6 信号传递博弈的完美贝叶斯均衡（Perfect Bayesian equilibrium，PBE）是满足下面三个条件的策略组合 σ^* 和后验信念 $\mu(\cdot \mid a_1)$：

① $\forall \theta$, $\sigma_1^*(\cdot \mid \theta) \in \arg\max\limits_{a_1} u_1(a_1, \sigma_2^*, \theta)$；

② $\forall a_1$, $\sigma_2^*(\cdot \mid a_1) \in \arg\max\limits_{a_2} \sum\limits_{\theta} \mu(\theta \mid a_1) u_2(a_1, \sigma_2^*, \theta)$；

③ $\mu(\theta \mid a_1) = \dfrac{p(\theta)\sigma_1^*(a_1 \mid \theta)}{\sum\limits_{\theta_1 \in \Theta} p(\theta_1)\sigma_1^*(a_1 \mid \theta_1)}$，$\sum\limits_{\theta_1 \in \Theta} p(\theta_1)\sigma_1^*(a_1 \mid$

$\theta_1) > 0$。

其中，$\sigma_1^*(\cdot \mid \theta)$ 为参与人 1 的行动 a_1 在类型 θ 上的均衡策略，$\sigma_2^*(\cdot \mid a_1)$ 表示参与人 2 的行动 a_2 在 a_1 上的均衡策略，$u_1(a_1, \sigma_2^*, \theta) = \sum\limits_{a_1} \sum\limits_{a_2} \sigma_1^*(\cdot \mid \theta)\sigma_2^*(\cdot \mid a_1)u_1(a_1, a_2, \theta)$。

定义 2.6 中前两个条件是完美性条件，条件①表明参与人 1 考虑了 a_1 对于参与人 2 行动的影响，条件②表明参与人 2 的最优反应是基于参与人 1 的行动 a_1 做出的，条件③是贝叶斯方法的运用。

信号传递博弈的完美贝叶斯均衡可以划分为三类：分离均衡（Separation Equilibrium），混合均衡（Mixed Equilibrium），杂合均衡（Hybrid Equilibrium）。分离均衡，不同类型的参与人 1 以概率 1 选择不同的信号，信号准确地揭示出类型。混同均衡，不同类型的参与人 1 选择相同的信号，参与人 2 无法修正先验概率。杂合均衡，也称准分离均衡，一些类型的参与人 1 随机地选择信号，另一些类型的参与人 1 选择特定的信号。

我们借助 Spence 的教育信号传递博弈来说明分离均衡和混合均衡这两类形式的 PBE。参与人 2 的目标是使得参与人的工资与参与人 1 的能力差的平方最小化，即 $\min (a_2 - \theta)^2$，所以参与人 2 在均衡中取 $a_2(a_1) = E(\theta \mid a_1)$，其中 $E(\theta \mid a_1)$ 表示已知参与人 1 的教育水平 a_1 条件下的期望生产率。参与人 1 的目标是 $\max\left(a_2 - \dfrac{a_1}{\theta}\right)$。

设 σ_1' 和 σ_1'' 分别为参与人 1 的行动 a_1 在类型 θ_1 和 θ_2 上的均衡策略。如果 $a_1' \in \sigma_1'$ 和 $a_1'' \in \sigma_1''$，则有

$$a_2(a_1') - \frac{a_1'}{\theta_1} \geq a_2(a_1'') - \frac{a_1''}{\theta_1} \tag{2-15}$$

$$a_2(a_1') - \frac{a_1'}{\theta_2} \leq a_2(a_1'') - \frac{a_1''}{\theta_2} \tag{2-16}$$

两式对应相减，可得

$$\frac{a_1'}{\theta_2} - \frac{a_1'}{\theta_1} \geq \frac{a_1''}{\theta_2} - \frac{a_1''}{\theta_1} \tag{2-17}$$

又因为 $0 < \theta_1 < \theta_2 \Rightarrow \frac{1}{\theta_2} < \frac{1}{\theta_1}$，故有 $a_1' \leq a_1''$。

在分离均衡中，低生产率的参与人 1 选择类型 θ_1，并且得到的工资等于 θ_1，他选择的策略是 $a_1' = 0$[①]。作为分离均衡的一部分，类型 θ_1 更偏好于 a_1'，故有

$$\theta_1 \geq \theta_2 - \frac{a_1''}{\theta_1} \tag{2-18}$$

即

$$a_1'' \geq \theta_1(\theta_2 - \theta_1) \tag{2-19}$$

类似可知，类型 θ_2 更偏好于 a_2''，则有

$$a_1'' \leq \theta_2(\theta_2 - \theta_1) \tag{2-20}$$

总之，$\theta_1(\theta_2 - \theta_1) \leq a_1'' \leq \theta_2(\theta_2 - \theta_1)$ 为分离均衡（$a_1' = 0$，$a_1'' > 0$）的约束条件。

在混合均衡中，不分类型都选择相同的行动，即有 $a_1^* = a_1' = a_1''$。参与人 1 的工资为 $a_2(a_1^*) = p\theta_1 + q\theta_2$。对于任意不同于均衡行为 a_1^* 的行动 a_1，$\mu(\theta_1 \mid a_1) = 1$，其收益为 θ_1。所以，对于参与人 1 任意的类型 θ，都有

$$\theta_1 \leq a_2(a_1^*) - \frac{a_1^*}{\theta} = p\theta_1 + q\theta_2 - \frac{a_1^*}{\theta} \tag{2-21}$$

所以

---

① $a_1' = 0$ 会使得参与人 1 受益，因为他节约了教育成本，得到工资是 θ_1，θ_2 的凸组合，不会低于 θ_1。

$$a_1^* \leqslant q(\theta_2 - \theta_1)\theta \qquad (2-22)$$

又因为 $0 < \theta_1 < \theta_2$，所以 a_1^* 为混同均衡策略的约束条件为：

$$a_1^* \leqslant q(\theta_2 - \theta_1)\theta_1 \qquad (2-23)$$

由于信息不完全，每个人都希望向对方传递对自己有利的信号。每天外出，人们往往会打扮漂亮得体，待人讲究文明礼貌。招聘时，求职者总是展示自己最好的一面，拿出自己的最高学历证书和尽量多的获奖证书。商业谈判中，企业尽力展示自己的规模与实力。企业做广告的想传递的信号是：产品质量高，销量好，企业经营好。

当然，信号传递要产生好的效果，一定要可信度高并且可接受性强。求职时拿出的学历证书比起简历中的文字描述更有说服力。名牌产品比起山寨货更能传递该类型产品的性能和作用。所以，不管是个人、企业还是国家，都在不断的发展进程中积累声誉和塑造自身形象，争取传递正能量信号。

在 Selten（1978）连锁店博弈的基础上，一些学者［Kreps and Wilson（1982），Milgrom and Roberts（1982），Fudenberg and Kreps（1987），Aumann and Sorin（1989），Fudenberg and Levine（1991），etc.］引入声誉效应，研究声誉效应在长期动态的博弈过程中的作用，以及如何利用声誉效应得出帕累托最优的结果。不完全信息的动态博弈中的信号传递问题、声誉效应、序贯议价（讨价还价）问题等模型方法在企业投融资、商业谈判、国家关系等方面有非常重要的应用。

2.5　演化博弈论

现实生活中，人的有限理性与信息的不完备性是每一个博弈参与人更为合理的描述。演化博弈论（Evolutionary Game Theory）是借鉴经济学理论而提出来的，利用达尔文（Darwin）的生物进化论中适应度（Fitness）代替了经济学中的货币支付手段。20世纪70年代，Maynard Smith 等将生物进化理论与经典博弈理论结合，在研究生态演化现象的基础上提出进化稳定策略（Evolutionarily Stable Strategy，ESS）这一重要概念，标志着演化博弈理论的诞生。20 世纪 80 年代以后，随着人们对传统博弈论以及新古典经济学固有缺陷的认识，学术界普遍认可了有限理性概念，演化博弈论也逐渐发展成一个经济学的新领域。演化博弈论中的建模以及稳定性分析等理论方法在本书后面章节中许多内容都有应用。

2.5.1　演化稳定策略

演化稳定策略，也叫进化稳定策略，Maynard Smith 和 Price 给出的定义为：当系统处于进化稳定状态时（群体选择进化稳定策略时所处的状态），除非有来自外部强大的冲击，否则系统就不会偏离这个状态。

在一个参与人总体中，大多数个体一直采取相同策略 x，而其余的个体（变异者群体，设其在总体中的比例为 ϵ）采取另外的策略 y。随机的从参与人总体中选择二人进行博弈，记混合策略 $w = \epsilon y + (1 - \epsilon)x$，如果 x 为一个进化稳定策略，则当 ϵ 足够小时，现有策略 x 的收益必须超过变异策略 y 的收益，即：$u(x, w) > u(y, w)$，$\forall y \neq x$。

定义 2.7（演化稳定策略） 如果对于 $\forall y \in \Delta$，$y \neq x$，存在 $\delta \in (0, 1)$，使得 $\forall \epsilon \in (0, \delta)$，总有

$$u(x, \epsilon y + (1 - \epsilon)x) > u[y, \epsilon y + (1 - \epsilon)x] \quad (2-24)$$

则 $x \in \Delta$ 为一个演化稳定策略（ESS）。每一个 ESS 都是对于自身的最优反应，故均为纳什均衡策略。

在对称性两人博弈[①]中，任意参与人对 $x \in \Delta$ 的最优反应可以无差别的表示为：$\beta^*(x) = \{y \in \Delta: u(y, x) \geqslant u(z, x), \forall z \in \Delta\}$。如果 $x \in \Delta$ 为一个 ESS，策略 $y \neq x \in \beta^*(x)$ 为 x 的一个最优反应，

---

①　对称性博弈中的参与人具有相同的博弈策略空间 Δ 和独立于博弈方位置的收益函数 u。例 1.1 和例 1.2 提到的囚徒困境博弈、鹰鸽博弈等都是对称性两人博弈的典型例子。

则对于策略 y 来讲，x 必然是比 y 占优，即 $u(y, y) < u(x, y)$。此时，变异者在总体中的适应性比较低，生存处境较差。由此我们也有如下等价定义：

定义 2.7′ 如果纳什均衡策略 $x \in \Delta^{NE}$ 满足如下条件：

$$u(y, y) < u(x, y) \qquad \forall y \in \beta^*(x), \ y \neq x \qquad (2\text{-}25)$$

则称 x 为一个演化稳定策略。

定理 2.4 如果 $(x, x) \in \Theta$ 是一个严格的纳什均衡，那么 $x \in \Delta$ 为一个 ESS。

证明 如果 $(x, x) \in \Theta$ 为严格的纳什均衡，则 $x \in \beta^*(x)$ 为 x 的唯一的最优反应，式（2-24）中的 y（另外的最优反应）并不存在，则对于 $\forall \epsilon \in (0, 1)$，（2-23）都成立。

定义 2.7 与定义 2.7′ 以及其他等价的定义是演化稳定策略的判定标准。

2.5.2 ESS 的性质

进化稳定策略是一个静态概念，但它却可以描述出系统的局部动态性质。

定理 2.5（局部优越性定理） $x \in \Delta$ 为一个 ESS 的充要条件是：存在一个领域 U，对于 $\forall y \in U$，$y \neq x$，总有

$$u(y, y) < u(x, y) \qquad (2\text{-}26)$$

定理 2.5 又称局部稳定性定理，指的是 ESS 对于附近的变异策略的收益高于针对自身所得收益。

证明（仅证充分性） 对于 $\forall z \in \Delta$，$z \neq x$，必定存在 $\delta > 0$，使得 $\forall \epsilon \in (0, \delta)$，有 $y = \epsilon z + (1-\epsilon) x \in U$。根据条件假设有，$u(y, y) < u(x, y)$。由于收益函数的线性性质，则：

$$u(y, y) = u(\epsilon z + (1 - \epsilon)x, y) = \epsilon u(z, y) + (1 - \epsilon)u(x, y)$$
$$(2\text{-}27)$$

又因为 $u(y, y) < u(x, y)$，则有 $u(z, y) < u(x, y)$，即 $x \in \Delta$ 为一个 ESS。

局部优越性定理给出了 ESS 概念的一个直观印象，那就是收

益函数的局部最优点（极点）。由此可知，对于连续性的收益函数，可以借助于极值原理来寻找 ESS。

2.5.3 ESS 的标准（复制子动态）

将博弈论基本概念融入生物进化理论中，混合策略 $x = (x_1, x_2, \cdots, x_n)$ 可以用来描述生物种群的选择总体状态，x_i 表示选择策略 i 的个体的数量（或比例）。收益函数可以用来描述个体（复制子）在总体中的表现（适应性），对应个体繁殖后代的能力（表现为被复制的数量或者后代的个数等）。

根据生物进化理论，种群的进化优势体现在参与人的比例提高。所以，第 i 个参与人群体的增长率 $\dfrac{\dot{x}_i}{x_i}\left(\text{其中，} \dot{x}_i = \dfrac{dx_i}{dt}\right)$ 等于其适应度 $u_i\big|_{x_i=1}$ 与平均适应度 u_i 的差，即

$$\dot{x}_i = x_i(u_i\big|_{x_i=1} - u_i) \quad (i = 1, 2, \cdots, n) \qquad (2-28)$$

由上式可知，适应性超过平均水平的子总体具有增长的趋势，而低于总体适应性平均值的子总体的数量（或比例）是衰减的。

一般来讲，复制子动力系统式（2-28）的 ESS 一定是博弈模型的纳什均衡策略，而纳什均衡策略是对应复制子动态系统的不动点。

2.5.4 演化稳定与中性稳定性的策略及其策略集

对于对称的演化博弈，ESS 具有渐进稳定性[①]；如果 ESS 是内点则必唯一，而且是复制子动态系统的全局稳定点。对于不对称的演化博弈，Samuelson 和 zhang（1992）的一篇文献研究表

[①] 动态系统中的某个状态 $x \in C$ 不会因为受到较小的扰动而偏离，则称该状态 x 是 Lyapunov 稳定的；如果 x 是 Lyapunov 稳定且对于该状态所有足够小的扰动会使其重新回到 x，则称其为渐近稳定的。严格的定义请参阅常微分方程稳定性理论相关文献。

明，严格混合策略纳什均衡不是复制子动态的渐近稳定均衡。

20 世纪 70 年代后，博弈论研究的重要分支除了完全信息下的静态博弈、动态博弈、重复博弈及不完全信息下的静态博弈、动态博弈、贝叶斯博弈，还有多指标博弈和微分博弈等。多指标博弈也称为多准则博弈，主要研究参与人如何根据多个指标来选择最优策略，常见处理方式是转化为多目标规划，在实际应用非常广泛。微分博弈起源于二战期间，在军事领域及动态竞争性问题研究方面应用广泛。近年来，人们开始探讨多目标微分博弈和模糊微分博弈，目前尚未有实质性进展。

在我国，张维迎于 1996 年出版《博弈论与信息经济学》是国内博弈论研究的代表性著作，谢识予的《经济博弈论》、施锡铨的《博弈论》等也是较有影响力的著作。2000 年以后，国内出现了一大批从事博弈论研究的学者，博弈论研究有了较大进展，部分学者运用博弈论对我国经济领域的实际问题进行研究，如世贸组织规则分析、证券市场投资管理、宏观经济政策博弈模型等，取得了非常有意义的应用性成果。

博弈论的相关概念以及演化博弈模型稳定性的判定与应用有很多研究，读者如果想了解更详细的内容请自行查阅相关文献，本书在此不再赘述。

3 煤矿生产安全管理中利益相关者分析

煤矿生产安全管理系统是复杂的大系统，利益相关者之间的博弈行为与策略具有极大的动态性和复杂性。厘清各利益相关者的关系，合理分配煤矿生产利益和安全责任，对于煤矿生产安全管理尤为重要。结合国内外相关研究文献分析以及煤矿安全领域的学者进行沟通讨论，本章首先对煤矿生产安全管理系统中的利益相关主体进行分析，主要介绍各利益相关者在煤矿生产安全管理系统中扮演的角色，包括政府管理层面、集团公司层面、煤矿企业层面、煤矿员工层面；随后，采用问卷调查和现场人员访谈的方式，根据诸多利益相关者在煤矿安全管理体系中的地位和作用，对其利益目标、关联关系、彼此之间的影响机制等进行调研与分析，旨在确定各利益相关者的目标与界限，揭示煤矿生产安全管理系统的内在运行规律和动态变化机制。

3.1 我国煤矿生产安全管理现状概述

在 1949—1984 年间，我国的煤矿生产安全管理机构非常不稳定，变动频繁，责任不明确。在该段期间内，这些管理机构不仅要负责规范煤矿安全，同时还要负责制定与满足生产配额，导致煤炭生产单位执行各项煤矿安全法律法规不严格，也是我国煤矿安全情况（死亡人数与百万吨死亡率）频繁波动的主要原因。

1998—2000 年期间，政府对煤矿生产安全管理体制进行了重大改革，建立了我国煤矿安全管理体系，如图 3-1 所示。自此，在过去的近 20 年时间，我国煤矿安全生产问题得到进一

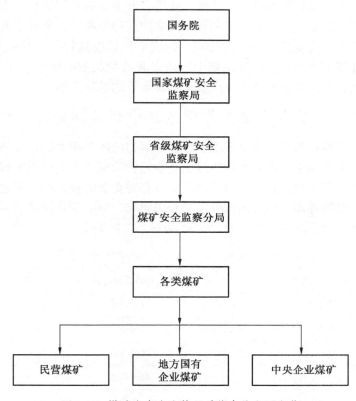

图 3-1 煤矿生产安全管理系统中的主要主体

步改善，如 2018 年全国煤矿共发生事故 224 起，死亡 333 人，百万吨死亡率为 0.093，相比 2000 年死亡人数 5798 人、百万吨死亡率 5.77 有着显著的下降。虽然近些年我国煤矿安全形势持续稳定好转，但煤炭生产行业仍是国内的高危行业之一，并且横向来看，与国际先进采煤国家相比，我国的安全事故控制能力仍相对较差。与同期相比，百万吨死亡率是美国、德国、澳大利亚等国家的 20 倍以上。因此，煤矿生产安全管理仍面临着巨大挑战。

由图 3-1 可知，煤矿生产安全管理问题是国家煤矿安全监察局、地方煤矿监察部门、煤炭企业等多方主体的共同责任。由于国家、地方、企业等多方利益主体之间的利益冲突，不利于我国煤矿生产安全管理的法律法规、制度章程贯彻执行。由此可知，明确煤矿生产安全管理系统中的诸多利益相关者的地位、作用、关联关系，是提升煤矿生产安全管理水平的基础工作。

3.2 煤矿生产安全管理系统中利益相关者分析

利益相关者的概念发展至今，从最初的股东至上思想发展至股东尤其是中、小股东逐渐退出企业经营的模式，同时股东成为企业的利益相关者。国内外很多学者都对企业的利益相关者进行了明确的界定。结合国内外大量相关研究，对学者认同的利益相关者进行了总结并进行对比，见表 3-1 与表 3-2。

表 3-1 国内学者认同的企业利益相关者排序（前 20 位）

企业利益相关者	频率	企业利益相关者	频率
股东	100%	竞争对手	13.1%
员工	95.1%	媒体	10.7%
顾客	79.5%	分销商	9.8%
债权人	77.0%	自然环境	7.4%
供应商	73.8%	工会	6.6%
管理人员	60.7%	人类后代	6.6%
政府	50.0%	行业协会	4.9%
企业所在社区	45.1%	宗教团体	1.6%
社会公众	19.7%	教育机构	1.6%
环保组织	15.6%	社会活动家	1.6%

虽然国内外学者对具体利益相关者的认同次序有所差异，但是排在前 20 位的利益相关者基本一致。

表 3-2 国外学者认同的企业利益相关者排序（前 20 位）

企业利益相关者	频率	企业利益相关者	频率
股东	100%	环保组织	12.8%
员工	76.6%	工会	10.6%
顾客	72.3%	合作伙伴	10.6%
供应商	51.1%	分销商	6.4%
政府	44.7%	社会公众	6.4%
企业所在社区	31.9%	自然环境	6.4%
债权人	23.4%	行业协会	2.1%
管理人员	21.3%	人类后代	2.1%
媒体	19.1%	宗教团体	2.1%
竞争对手	19.1%	社会活动家	2.1%

经过对煤矿生产安全管理体系的系统分析，结合国内外学者对企业利益相关者的界定，并与煤矿领域的专家学者进行充分沟通，本书认为煤炭企业安全生产的主要利益相关者可划分为以下四个层面：政府层面、煤矿集团公司层面、煤矿企业层面、煤矿员工层面。下面将重点介绍各利益相关者在煤矿生产安全管理系统中扮演的角色。

3.2.1 政府层面

为了简化分析，本书将政府部门管理机构，包括各地政府、省级煤矿安全监督管理部门、国家煤矿安全监察局等划为一类，统称为国家煤矿安监部门工作人员。他们在煤矿安全系统中起到了统领全局的作用，主要职责有：

① 拟定煤矿安全生产政策，参与制定、起草与煤矿安全生产有关的法制法规；

② 承担煤矿安全生产监督执法，整改事故隐患、追究事故

责任人的责任，依法落实煤矿安全生产制度；

③ 对煤矿作业进行监督，对违反煤矿安全生产制度和安全法规的行为进行检查和处罚；

④ 负责全国重点煤矿的安全生产准备工作，查处不符合安全生产标准的煤矿企业，会同有关部门指导、整顿问题煤矿的关闭工作。

设立国家及各级政府煤矿安全监察部门，体现了我国对煤矿安全生产的重视，是进一步加强煤矿安全生产工作的重要保障。煤矿安全生产作为安全监察的重点工作内容，通过落实地方煤矿责任、加大监管力度等措施，国家煤矿安全监察局促进了我国煤矿安全生产形势的好转，保证了我国煤矿的安全生产。

3.2.2 集团公司层面

煤矿集团公司层面主要包括集团公司的安全监察部门、安全生产管理部门。煤矿集团公司在煤矿安全生产管理系统中起到了连接国家与地方煤矿之间的桥梁作用，既要秉承国家的法律法规，又要根据自身集团的发展制定针对性的监管对策，保障集团公司的安全发展，集团公司的安全监察对降低煤矿安全生产事故的发生率具有重要作用。他们的职责有：

① 认真贯彻国家的安全生产方针、法律法规，以及与安全生产有关的指示与规定，并根据国家法规与集团公司的实际情况相结合，严格落实安全法规的执行；

② 负责对所属煤矿进行日常安全生产监督检查（定期与不定期、例行与重点结合），对存在安全隐患的煤矿及时治理和整顿；

③ 参与公司安全生产考核办法、安全生产规章制度、责任追究制度的制定，对检查中发现的重大安全隐患进行督办，对违反公司安全生产规定的行为进行责任追究。

3.2.3 煤矿企业层面

煤炭企业层面主要包括煤矿企业内部的安全监察部门、煤矿安全生产管理部门等。煤矿安全检查人员直接对一线工人以及生产设备进行监督和管理，他们在煤矿生产安全管理系统中起到了及时发现、解决安全问题的角色，主要职责如下：

① 依照国家法规和集团公司规章制度，依法检查煤矿的安全生产情况，对设备设施、作业环境进行检查；

② 负责煤矿上的安全管理，对一线员工的不安全行为进行指导，对存在隐患，尤其是重大隐患的设备要及时记录，及时上报；

③ 对违规作业的工人及时制止并按照相关规定进行处罚。

3.2.4 煤矿员工层面

煤矿员工层面主要指煤矿一线生产的各类工种的工人。煤矿一线生产工人是煤矿生产安全管理系统中长时间与煤矿安全生产直接接触的利益群体，他们的不安全行为、三违操作等有可能直接导致矿难的发生。他们既可能是事故的引发者，又可能成为煤矿安全事故的直接受害者。因此，一线工人在煤矿生产安全管理系统中具有重要的地位，是事故预防的主力军。

3.3 煤矿生产安全管理系统中各利益相关者描述性统计分析

在确定煤矿生产安全管理系统中的利益相关者后，本书将对上述四类利益相关者进行实地调研，调研对象主要有四类：国家煤矿安监部门工作人员、煤矿集团公司安全管理人员、煤矿企业安全生产检查人员、煤矿生产一线主管与工作人员，对应四类调查问卷。

3.3.1 国家煤矿安监部门工作人员统计分析

对国家煤矿安监部门工作人员的调查，主要从两个方面进行：一是基本情况调查，二是对煤矿安全生产工作的看法，以便为进一步改进煤矿安全监察工作提供依据。本次调研共发放400

份调查问卷，回收数量为 310 份，其中有效问卷为 205 份，有效率为 66.13%。具体统计情况如下。

3.3.1.1 基本情况调查

国家煤矿安监部门工作人员的基本情况调查主要从性别、年龄、工作时间、工作经验、教育程度、工作岗位等人口统计学基本特征进行。

（1）性别。国家煤矿安监部门工作人员的性别差异非常大，由图 3-2 所示，超过 90% 以上的工作人员均为男性，女性工作人员不足 10%。

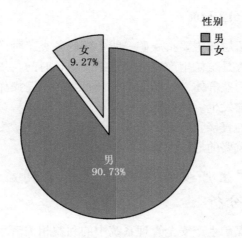

图 3-2　国家煤矿安监部门工作人员性别结构

（2）年龄。国家煤矿安监部门工作人员年龄结构近似呈正态分布，主要集中在 30～50 岁（接近 80%），而年轻员工（30 岁以下）以及高龄员工（50 岁以上）的占比分别在 10% 左右，如图 3-3 所示。

（3）从事煤矿安全监察工作的时间。由图 3-4 可知，接近 90% 的工作人员的工作时间均在 5 年以上，并且多数员工的工作时间集中在 5～10 年（47.8%）与 11～20 年（34.63%）。

（4）工作经验。由图 3-5 可知，仅有 36% 的工作人员具有

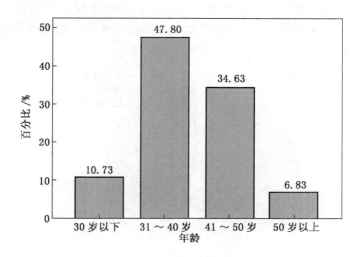

图 3-3　国家煤矿安监部门工作人员年龄结构

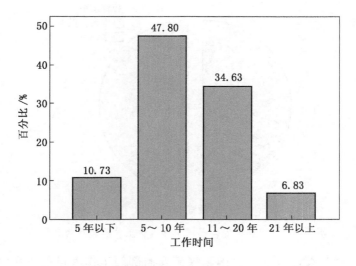

图 3-4　国家煤矿安监部门工作人员工作时间结构

煤矿企业工作经验，而大部分（63%）的国家煤矿安监部门工作人员则没有煤矿企业工作经验，这也是煤矿安全管理问题的一大隐患。

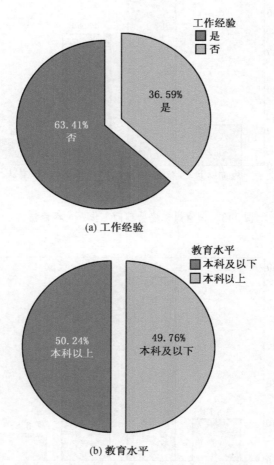

(a) 工作经验

(b) 教育水平

图3-5　国家煤矿安监部门工作人员工作经验及教育水平

（5）受教育水平。国家煤矿安监部门工作人员的学历水平分布较为平均，如图3-5b所示，本科及以下学历与本科以上学历大致相当，各占50%。另外，对于国家煤矿安监部门的工作而言，对学历的要求相对较高。因此，进一步引入本科以上学历的人员，提升整体的教育水平也是国家煤矿安监部门的工作方向之一。

（6）工作岗位。由图3-6可知，本次调研涉及多个工作岗位，其中安全技术人员最多（35.6%），其次是安全检查人员（27.8%），此外还有安全检查管理人员（11.71%）、一般工作人员（7.8%）等，可见被调研对象具有代表性，进一步表明调研数据的有效性。

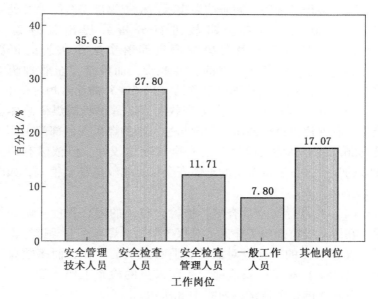

图3-6　工作人员工作岗位分布图

以上属于对国家煤矿安监部门工作人员的统计性特征分析，下面将介绍国家煤矿安监部门工作人员对当前中国煤矿安全问题的看法。

3.3.1.2　我国煤矿安全生产情况问题分析

（1）煤矿安全生产存在的主要问题。首先，本书对当前我国煤矿安全生产问题频发的原因进行了调研。调研结果表示，煤矿安监部门工作人员认为最重要的原因是国内煤矿生产技术相对落后（45.9%）；其次，煤矿行业一线工人的整体素质偏低（44.4%），如教育水平低、技术性差等也是导致国内煤矿安全事故频发的重要原因之一。除此之外，被调研对象表示煤矿企业管理者缺乏安全意识（34.6%）、安全生产法规不全面（34.1%）、安全检查执法不严格（30.7%）也是煤矿安全生产存在的主要挑战。

（2）政府安全检查的主要职责。其次，本书对安全监察的主要职责进行了调研。调研结果表示，检查煤矿安全隐患及处置情况（59.0%）、对安全事故进行分析并提出处理意见（55.1%）、检查企业及各级政府贯彻落实法律法规的情况（50.2%）是政府安全检查的主要职责，而检查安全管理疏漏（48.3%）、提出安全管理整改意见（38.5%）的比重相对较小。

（3）中国煤矿总体安全生产状况。通过对我国煤矿总体安全生产状况评价进行调研，发现超过一半的煤矿安监部门工作人员（56.1%）认为我国煤矿的安全状况比较好，但依然有超过20%的工作人员表示煤矿的整体安全状况比较差甚至很差，如图3-7所示。

（4）在进行安全检查时，被检查对象的配合程度。调查发现，在煤矿安监部门工作人员对煤矿集团、煤矿企业等进行检查时，仅有40%的被检查对象配合监察人员的工作，而多数煤矿企业（60%）对煤矿安监部门工作人员的检查工作不配合，甚至具有较大的抵触情绪，如图3-8所示。

（5）国家煤矿安监部门与煤矿企业、当地政府之间的利益关系。图3-9表示了工作人员对国家煤矿安监部门与煤矿企业之间的利益关系及与当地政府之间的利益关系的理解，调研结果表示，大多数工作人员赞同国家煤矿安监部门与煤矿企业、当地政府之间的利益关系既存在一致，又存在矛盾（68.3%与63.9%）。深入分析国家煤矿安监部门与煤矿企业及当地政府之间利益冲突所在，是解决煤矿安全管理问题的关键。

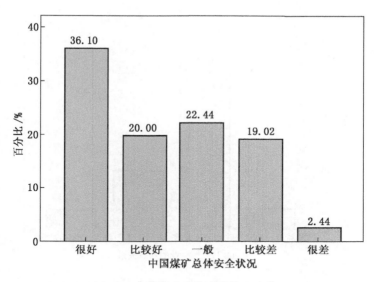

图 3-7 我国煤矿总体安全状况分布图

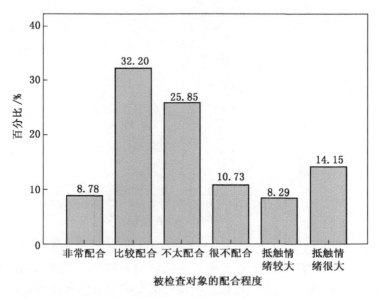

图 3-8 被检查对象配合程度分布图

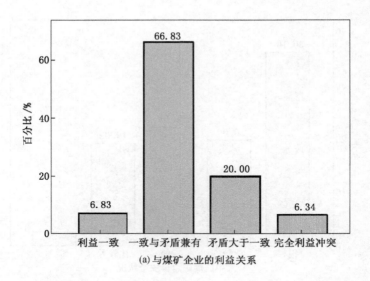

(a) 与煤矿企业的利益关系

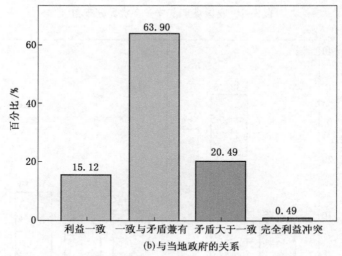

(b) 与当地政府的关系

图3-9　国家煤矿安监部门与煤矿企业和当地政府之间的利益关系

（6）中国煤矿安全监察管理体制的合理性。如图3-10所示，多数煤矿安监部门工作人员均表示煤矿安全监察体系是比较合理（59.02%），但仍存在15.1%的工作人员表示，煤矿安全监察体系完全不合理，值得深入思考。

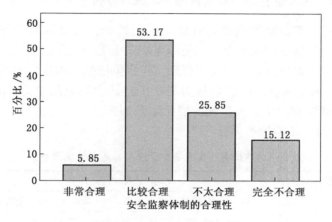

图 3-10 煤矿安全监察体制合理性分布图

（7）工作压力。最后，本书对国家煤矿安监工作人员的工作压力进行了调研。如图 3-11 所示，接近一半工作人员的工作压力非常大（41.95%），而仅有 11% 的工作人员表示无压力。

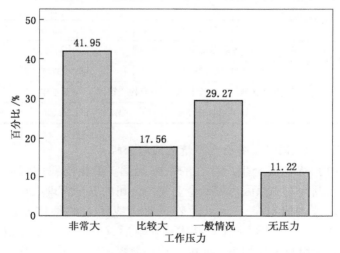

图 3-11 煤矿安监部门工作人员工作压力分布图

3.3.2 煤矿企业集团安全管理人员统计分析

对煤矿企业集团安全管理人员的调查，主要从两个方面进行：一是基本情况调查；二是对煤矿安全生产工作的看法，以便为进一步改进煤矿生产安全管理工作提供依据。本次调研共发放400份调查问卷，回收数量为290份，其中有效问卷为215份，有效率为74.1%。具体统计情况见表3-3。

3.3.2.1 基本情况调查

表3-3 煤矿企业集团安全管理人员基本情况调查表

题目	选项/份数（占比）			
1. 所学专业	与煤矿生产与安全有关		与煤矿生产与安全无关	
	188（87.4%）		27（12.6%）	
2. 年龄	＜25岁	26~35岁	36~45岁	＞45岁
	4（1.9%）	74（34.4%）	58（27.0%）	79（36.7%）
3. 工作时间	＜5年	5~10年	11~20年	＞21年
	66（30.7%）	67（31.2%）	47（21.9%）	35（16.3%）
4. 工作经验	是		否	
	160（74.4%）		55（25.6%）	
5. 教育程度	本科及以下		本科以上	
	134（62.3%）		81（37.7%）	
6. 工作岗位	安全管理	安全检查	安全检查管理	一般工作	其他
	102（47.4%）	29（13.5%）	50（23.3%）	30（14.0%）	4（1.90%）

3.3.2.2 我国煤矿安全生产情况问题分析

（1）煤矿安全生产存在的主要问题。就当前我国煤矿安全生产问题频发的原因对煤矿企业集团公司的安全管理人员进行了调研。被调研对象表示，煤矿行业一线工人的整体素质偏低（65.0%）与国内煤矿生产技术相对落后（49.3%）是导致国内煤矿安全事故频发的主要原因，这点与煤矿安监部门工作人员的观点基本一致；其次，企业管理者安全意识不足（39.0%）、安全生产法规不全面（28.0%）、安全事故成本过低（26.5%）、安全执法不严格（23.0%）比重也较高。

（2）企业集团安全检查的主要职责。关于企业集团安全检查的主要职责，煤矿企业集团安全管理人员表示检查煤矿安全隐患及处置情况（86.0%）应是主要职责；其次，检查安全管理疏漏（75.0%）、检查所属企业及各生产管理部门贯彻落实法律法规的情况（73.5%）、提出安全管理整改意见（71.0%）、检查落实上级有关安全生产指示落实情况（68.0%）、对安全事故进行分析，并提出处理意见（60.0%）等均被多数员工认可。

此外，关于企业集团安全管理人员对中国煤矿生产安全管理体系等的看法与态度，具体信息见表3-4。

表3-4　企业集团管理人员对中国煤矿生产安全管理体系的认识

题目	选项/份数（占比）				
1. 企业集团总体安全状况	很好	比较好	一般	比较差	很差
	49（22.8%）	132（61.4%）	31（14.4%）	3（1.40%）	0
2. 被检查对象的配合程度	非常配合	比较配合	不太配合	很不配合	抵触情绪较大	抵触情绪很大
	65（30.2%）	121（56.3%）	10（4.7%）	1（0.5%）	16（7.4%）	2（0.9%）
3. 国家安监部门与企业集团的利益关系	利益完全一致		利益既有一致，也存在矛盾		矛盾大于一致	利益完全冲突
	71（33.0%）		127（59.1%）		12（5.60%）	5（2.30%）
4. 国家安监在企业集团检查工作时的做法	完全从企业的实际出发进行检查		检查时利益既有一致，又相互矛盾		矛盾大于一致	利益完全冲突
	74（34.4%）		134（62.3%）		3（1.4%）	4（1.9%）
5-1. 地方政府在企业集团检查工作时的做法	基本不进行安全检查			虽然是有检查，但是也只是走过场		
	101（47.0%）			114（53.0%）		

表 3-4（续）

题目	选项/份数（占比）			
5-2. 地方政府在企业集团检查工作的作用	没有起到促进作用	对煤矿安全生产的促进作用不大	对煤矿安全生产有着较大的促进作用	对煤矿安全生产的促进作用很大
	29(13.5%)	77(35.8%)	74(34.4%)	35(16.3%)
6. 中国煤矿安全生产法的健全性	非常健全	比较健全	虽然健全，但内容需要进行调整	不健全，需要重新检讨
	35(16.3%)	124(57.7%)	54(25.1%)	2(0.9%)
7. 我国煤矿安全检查体制的合理性	非常合理	比较合理	不太合理	完全不合理，需重新检讨
	28(13.0%)	153(71.2%)	28(13.0%)	6(2.8%)
8. 工作压力	非常大	比较大	一般	没有压力
	54(25.1%)	146(67.9%)	15(7.0%)	0

3.3.3 煤矿安全生产检查人员统计分析

对煤矿安全生产检查人员的调查，主要从两个方面进行：一是基本情况调查；二是对煤矿安全工作的看法，以便为进一步改进煤矿安全管理工作提供依据。本次调研共发放 1500 余份调查问卷，回收数量为 1340 份，其中有效问卷为 1244 份，有效率为 91.34%，具体统计情况见表 3-5。

3.3.3.1 基本情况调查

表 3-5　煤矿安全检查人员基本情况调查表

题目	选项/份数（占比）			
1. 所学专业	与煤矿生产与安全有关		与煤矿生产与安全无关	
	1003 （80.6%)		241(19.4%)	
2. 年龄	<25 岁	26～35 岁	36～45 岁	>45 岁
	58(4.7%)	490(39.4%)	394(31.7%)	99(8.0%)

表 3-5（续）

题目	选项/份数（占比）			
3. 工作时间	<5 年	5～10 年	11～20 年	>21 年
	216(17.4%)	535(43.0%)	394(31.7%)	99(8.0%)
4. 工作经验	是		否	
	791(63.6%)		453(36.4%)	
5. 教育程度	本科及以下		本科以上	
	950(76.4%)		294(23.6%)	
6. 工作岗位	安全管理	安全检查	安全检查管理	一般工作	其他
	365(29.3%)	469(37.7%)	189(15.2%)	147(11.8%)	74(5.95%)

3.3.3.2 我国煤矿安全生产情况问题分析

（1）煤矿安全生产存在的主要问题。我们针对当前我国煤矿安全问题频发的原因对煤矿安全生产检查人员进行了调研，他们也将煤矿安全问题频发主要归因于产业工人的整体素质偏低（54.7%）与生产技术相对落后（48.3%），其他因素权重为企业管理者安全意识不足（35.0%）、安全生产法规不全面（26.2%）、执法检查不严格（24.9%）、安全事故成本过低（17.8%）。

（2）煤矿安全检查的主要职责。关于煤矿安全检查的主要职责，煤矿安全检查工作人员表示，检查煤矿安全隐患及处置情况（66.7%）、对安全事故进行分析并提出处理意见（66.6%）、检查企业各部门贯彻落实安全法规及操作规程的情况（65.9%）、提出安全管理整改意见（60.7%），是安全检查的首要任务；其次，检查企业员工"三违"情况（54.1%）、制定企业安全管理措施（50.2%），也被超过半数的员工支持。

此外，关于煤矿安全生产检查工作人员对煤矿企业及安监部门作用的态度与观点，具体信息见表 3-6。

表 3-6　煤矿安全生产检查人员对煤矿企业安全检查体系的认识

题目	选项/份数（占比）				
1. 企业总体安全状况	很好	比较好	一般	比较差	很差
	157（12.6%）	614（49.4%）	393（31.6%）	68（5.5%）	12（1.0%）
2. 检查对象的配合程度	非常配合	比较配合	不太配合	很不配合	抵触情绪较大	抵触情绪非常大
	160（12.9%）	639（51.4%）	214（17.2%）	38（3.1%）	110（8.8%）	83（6.7%）
3-1. 企业安监部门与被检查部门的利益关系	利益完全一致		利益既有一致，又相互矛盾		矛盾大于一致
	355（28.5%）		735（59.1%）		154（12.4%）
3-2. 部门领导及员工的抵触性	部门领导的抵触性小，员工的抵触性较大		部门领导的抵触性大，员工的抵触性较小		部门领导与员工的抵触性都非常大
	352（28.3%）		418（33.6%）		474（38.1%）
4-1. 集团安监部门与企业安监部门的利益关系	利益完全一致		利益既有一致，又相互矛盾		矛盾大于一致
	435（34.2%）		532（42.8%）		287（23.1%）
4-2. 集团安监对企业安全生产的作用	集团公司的检查对企业的安全生产有一定的指导作用			集团公司的检查对企业的安全生产指导作用不大	
	429（34.5%）			815（65.5%）	
5. 领导处理生产与安全态度	生产为主，安全为辅	生产安全并重	安全第一	只有发生事故时，才重视安全	
	166（13.3%）	481（38.7%）	507（40.8%）	90（7.2%）	
6. 安监部门在企业的重要性	极为重要，拥有绝对权力	名义上重要，实际权力不大	处于地位比较合理	出现事故后重要，时间长了地位下降	
	472（37.9%）	368（29.6%）	221（17.8%）	183（14.7%）	

表3-6（续）

题目	选项/份数（占比）					
7. 检查队伍的素质水平	素质很高，具有很好的控制力		整体素质一般，能满足安全管理的需要		整体素质较差，难以适应工作需要	
	575（46.2%）		475（38.2%）		194（15.6%）	
8. 企业安监人员需要提高的方面	安全管理知识	安全检查技巧	与员工的沟通能力	安全生产责任心	安全队伍的凝聚力	企业领导的支持态度
	704（57.5%）	679（55.5%）	603（49.3%）	457（37.3%）	484（39.5%）	542（44.3%）
9. 工作压力	非常大		比较大	一般情况	没有压力	
	364（29.3%）		577（46.4%）	244（19.6%）	59（4.7%）	

3.3.4 煤矿一线生产工作人员统计分析

对煤矿一线生产工作人员的调查，主要从两个方面进行：一是基本情况调查，二是对煤矿安全工作的看法，以便为进一步改进煤矿安全管理工作提供依据。本次调研共发放2000余份调查问卷，回收数量为1590份，其中有效问卷为1482份，有效率为93.21%。具体统计情况见表3-7。

3.3.4.1 基本情况调查

表3-7 煤矿生产一线员工基本情况调查表

题目	选项/份数（占比）			
1. 工作性质	采掘一线员工	井下辅助人员	井下其他岗位	井下管理人员
	970（65.5%）	297（20.0%）	47（3.2%）	168（11.3%）
2. 年龄	<25岁	26~35岁	36~45岁	>45岁
	40（2.7%）	607（41.0%）	495（33.4%）	340（22.9%）
3. 工作时间	<5年	5~10年	11~20年	>21年
	182（12.3%）	518（35.0%）	443（29.9%）	339（22.9%）
4. 合同性质	合同制人员		非合同制人员	
	1199（80.2%）		294（19.8%）	

表3-7（续）

题目	选项/份数（占比）					
5. 教育程度	初中及以下	高中	技校	专科	本科	硕士及以上
	443 (29.9%)	276 (18.6%)	348 (23.5%)	225 (15.2%)	187 (12.6%)	3 (0.2%)
6. 亲属是否从事煤矿工作	是			否		
	859 (58.0%)			623 (42.0%)		
7. 亲属是否在煤矿居住	是			否		
	553 (37.3%)			929 (62.7%)		

3.3.4.2 我国煤矿安全生产情况问题分析

（1）煤矿安全生产存在的主要问题。我们针对当前我国煤矿安全问题频发的原因对煤矿一线生产工作人员进行了调研，他们也将煤矿安全问题频发主要归因于井下工作时间过长、工人疲劳过度（82.0%），该因素得到了大部分员工的支持与赞同。其他原因的权重分别为：生产技术相对落后（32.1%）、执法检查过于严格，从而造成抵触情绪（16.1%）、安全生产法规不全面（15.3%）、管理者管理方式粗放，工人不服管理（13.1%）、执法检查不严格（10.6%）。

（2）工人出现违章的主要原因。由于煤矿一线生产工人的违章操作等行为可能直接导致煤矿安全事故的发生，是煤矿安全的主要导火索。因此，我们对工人出现违章的主要原因进行了调研，一线工人表示，井下环境恶劣，希望早点干完工作，以便提前升井（57.4%）；只注重工作，缺少安全意识（49.3%）是工人出现违章行为的首要原因。其次，员工心存侥幸心理（31.9%）、从众心理（25.5%）也是出现违章的原因之一。

此外，关于煤矿一线生产工作人员对于煤矿企业生产安全管理制度及体系的观点与态度，具体信息见表3-8。

表 3-8　煤矿一线生产工作人员对煤矿企业安全管理制度的认识

题目	选项/份数（占比）			
1. 煤矿安全的重要性	非常重要	重要	一般	次于生产
	1262（85.2%）	172（11.6%）	30（2.0%）	18（1.2%）
2. 家人的提示	经常提示	偶尔提示	一般不提示	根本不提示
	1119（75.5%）	288（19.4%）	58（3.9%）	17（1.1%）
3. 领导在班前会上注重工作还是安全	无班前会	二者兼有	工作重于安全	只重工作	应付了事
	12（0.8%）	1357（91.6%）	55（3.7%）	16（1.1%）	42（2.9%）
4. 领导的提醒	每件事都提醒	经常提醒	一般不提醒	根本不提醒
	395（26.7%）	1034（69.8%）	51（3.4%）	2（0.1%）
5. 同事的提醒	每件事都提醒	经常提醒	一般不提醒	根本不提醒
	251（16.9%）	1114（75.2%）	112（7.6%）	5（0.3%）
6. 检查人员的素质	素质很高	素质比较高	素质一般	什么都不懂
	217（14.6%）	546（36.8%）	577（38.9%）	142（9.6%）
7. 安全管理制度是否健全	很健全	比较健全	一般情况	领导说了算
	439（29.6%）	723（48.8%）	198（13.4%）	122（8.2%）
8. 安全管理制度是否严格	过于严厉	严厉程度适中	不太严厉	不确定
	413（27.9%）	928（62.6%）	55（3.7%）	86（5.8%）
9. 当工作与安全出现矛盾时，如何选择	排除隐患，后工作	工作中注意安全	专门有人负责安全，同时在工作	领导让怎么干就怎么干	出事的可能性很小
	1138（76.8%）	231（15.6%）	19（1.3%）	84（5.7%）	10（0.7%）

表3-8（续）

题目	选项/份数（占比）			
10. 工作压力	非常大	比较大	一般	没有压力
	551（37.2%）	702（47.4%）	206（13.9%）	23（1.6%）

3.4 煤矿生产安全管理系统中各利益相关者关联性分析

基于上述调研数据，本节分别针对各利益相关主体进行关联性分析，通过变量之间的关联关系分析及回归分析，深入分析各子系统中利益主体的相互关联关系，研究各方利益的构成与相互影响，为后续多方博弈模型的建立提供理论基础。

3.4.1 国家煤矿安监部门工作人员关联性分析

在国家煤矿安监部门工作人员的调查问卷中，对变量进行量化表示，如在性别变量中，对各选项分别进行赋值，"男=1，女=2"；在员工年龄变量中，"30岁以下=1，31~40岁=2，41~50岁=3，50岁以上=4"，其余变量的量化表示类似。变量赋值及各变量的均值、标准差见表3-9。

表3-9 变量设置与数据的统计特性

变量名称	变量描述	变量内容	均值	标准差
G01	性别	1=男；2=女	1.0927	0.2908
G02	年龄	1=30岁以下；2=31~40岁；3=41~50岁；4=50岁以上	2.4244	0.8107
G03	工作时间	1=5年以下；2=5~10年；3=11~20年；4=21年以上	2.3756	0.7672
G04	工作经验	1=是；2=否	1.6341	0.4829

表 3-9（续）

变量名称	变量描述	变量内容	均值	标准差
G05	教育程度	1＝本科及以下；2＝本科以上	1.5024	0.5012
G06	工作岗位	1＝管理技术；2＝检查；3＝检查管理； 4＝一般工作；5＝其他	2.4293	1.4656
G07	总体安全状况	1＝很好；2＝比较好；3＝一般； 4＝比较差；5＝很差	2.3171	1.2134
G08	被检查对象的配合程度	1＝非常配合；2＝比较配合； 3＝不太配合；4＝很不配合； 5＝抵触情绪较大；6＝抵触情绪很大	3.2000	1.5352
G09	国家与企业的利益关系	1＝完全一致；2＝既一致又矛盾； 3＝矛盾大于一致；4＝完全冲突	2.2585	0.6762
G10	国家与当地政府利益关系	1＝完全一致；2＝既一致又矛盾； 3＝矛盾大于一致；4＝完全冲突	2.0634	0.6110
G11	工作压力	1＝非常大；2＝比较大； 3＝一般；4＝无压力	2.0976	1.0756
G12	安监制度合理性	1＝非常合理；2＝比较合理； 3＝不太合理；4＝完全不合理	2.5024	0.8202

基于上述定义及变量的量化表示，对上述变量之间的相关系数进行分析，上述变量间的相关系数见表 3-10。

3.4.2 煤矿企业集团安全管理人员关联性分析

在煤矿企业集团安全管理人员的调查问卷中，对变量进行量化表示，如在专业变量中，对各选项分别进行赋值，"与煤矿生产与安全有关＝1，与煤矿生产与安全无关＝2"，其余变量的量化表示类似。故变量赋值及各变量的均值、标准差见表 3-11。

表 3-10　国家煤矿安监部门工作人员变量间的相关系数表

变量名称	G01	G02	G03	G04	G05	G06	G07	G08	G09	G10	G11	G12
G01	1											
G02	0.057	1										
G03	-0.013	0.621***	1									
G04	0.068	-0.003	0.051	1								
G05	0.049	0.02	-0.062	-0.006	1							
G06	0.098	0.202**	0.225**	0.144*	0.136	1						
G07	0.07	-0.081	-0.144**	0.351**	0.044	0.086	1					
G08	-0.068	0.144*	-0.072	-0.069	0.086	0.082	0.078	1				
G09	0.003	0.068	-0.057	-0.099	0.069	0.033	-0.108	0.035	1			
G10	0.022	0.017	0.058	-0.05	0.247**	0.016	0.064	0.12	0.047	1		
G11	0.117	-0.21**	-0.171*	0.276**	0.124*	0.039	0.619**	-0.06	-0.101	0.139**	1	
G12	-0.054	0.047	-0.037	0.093	0.071	0.055	0.077	0.193**	0.085	0.078	0.069*	1

注：*代表相关性在0.05级别显著（双侧）；**代表相关性在0.01级别显著（双侧）；***代表相关性在0.01级别显著（双侧），
下同。

表 3-11　变量设置与数据的统计特性

变量 名称	变量描述	变量内容	均值	标准差
E01	专业	1 = 与煤矿生产与安全有关； 2 = 与煤矿生产与安全无关	1.1256	0.3322
E02	年龄	1 = 30 岁以下；2 = 31 ~ 40 岁； 3 = 41 ~ 50 岁；4 = 50 岁以上	2.9860	0.8889
E03	工作时间	1 = 5 年以下；2 = 5 ~ 10 年； 3 = 11 ~ 20 年；4 = 21 年以上	2.2372	1.0610
E04	工作经验	1 = 是；2 = 否	1.2558	0.4373
E05	教育程度	1 = 本科及以下；2 = 本科以上	1.3767	0.4857
E06	工作岗位	1 = 管理技术；2 = 检查；3 = 检查管理； 4 = 一般工作；5 = 其他	2.0930	1.1960
E07	总体安全状况	1 = 很好；2 = 比较好；3 = 一般； 4 = 比较差；5 = 很差	1.9442	0.6532
E08	被检查人员 配合程度	1 = 非常配合；2 = 比较配合； 3 = 不太配合；4 = 很不配合 5 = 抵触情绪较大；6 = 抵触情绪很大	2.0140	1.0915
E09	国家安监部门与 企业集团的利益 关系	1 = 完全一致；2 = 既一致又矛盾； 3 = 矛盾大于一致；4 = 完全冲突	1.7721	0.6550
E10	国家安监部门在 企业检查时的做法	1 = 从企业的实际出发； 2 = 既一致又矛盾；3 = 矛盾大于一致； 4 = 完全冲突	1.7070	0.5911

表 3-11（续）

变量名称	变量描述	变 量 内 容	均值	标准差
E11	政府在煤矿安监的做法	1＝基本不进行检查；2＝只是走过场	1.5302	0.5003
E12	政府安监对煤矿安全生产的作用	1＝没有作用；2＝促进作用不大；3＝有较大促进作用；4＝促进作用非常大	2.5349	0.9210
E13	煤矿安全生产法规健全	1＝非常健全；2＝比较健全；3＝不太健全；4＝不健全	2.1070	0.6647
E14	工作压力	1＝非常大；2＝比较大；3＝一般；4＝无压力	1.8186	0.5379
E15	安监制度合理性	1＝非常合理；2＝比较合理；3＝不太合理；4＝完全不合理	2.0558	0.6088

基于上述定义及变量的量化表示，对上述变量之间的相关系数进行分析，上述变量间的相关系数见表 3-12。

3.4.3　煤矿安全生产检查人员关联性分析

在煤矿安全生产检查人员的调查问卷中，对变量进行量化表示，如在专业变量中，对各选项分别进行赋值，"与煤矿生产与安全有关＝1，与煤矿生产与安全无关＝2"，其余变量的量化表示类似。故变量赋值及各变量的均值、标准差见表 3-13。

基于上述定义及变量的量化表示，对上述变量之间的相关系数进行分析，变量间的相关系数见表 3-14。

表 3-12 煤矿企业集团安全管理人员变量间的相关系数表

变量名称	E01	E02	E03	E04	E05	E06	E07	E08	E09	E10	E11	E12	E13	E14	E15
E01	1														
E02	0.006	1													
E03	-0.138*	0.524**	1												
E04	0.132	-0.303**	-0.121	1											
E05	0.024	0.153*	0.08	-0.06	1										
E06	0.253**	-0.117	-0.202**	0.151*	-0.077	1									
E07	0.011	0.063	0.06	0.034	0.037	-0.113	1								
E08	-0.056	0	0.09	0.061	-0.01	-0.008	0.447**	1							
E09	-0.104	0.091	0.092	0.172*	0.036	-0.152*	0.276**	0.312**	1						
E10	0.093	0.108	0.044	0.038	0.028	-0.008	0.248**	0.180**	0.37**	1					
E11	-0.037	0.006	0.096	0.082	0.059	0.05	0.134*	0.072	0.085	-0.057	1				
E12	-0.037	-0.054	-0.107	-0.005	0.059	0.137*	-0.253**	-0.175*	-0.208**	-0.2**	-0.132	1			
E13	-0.04	-0.084	-0.01	0.066	-0.096	-0.007	0.369**	0.346**	0.196**	0.247**	0.096	-0.208**	1		
E14	-0.133	-0.162*	-0.08	0.119	-0.095	-0.126	0.277**	0.203**	0.068	0.067	0.064	-0.001	0.224**	1	
E15	-0.012	0.088	0.088	0.069	-0.008	-0.116	0.443**	0.364**	0.255**	0.293**	0.133	-0.279**	0.389**	0.288**	1

表 3-13 变量设置与数据的统计特性

变量名称	变量描述	变量内容	均值	标准差
P01	专业	1=男；2=女	1.1937	0.3953
P02	年龄	1=30岁以下；2=31~40岁；3=41~50岁；4=50岁以上	2.7058	0.8290
P03	工作时间	1=5年以下；2=5~10年；3=11~20年；4=21年以上	2.3023	0.8473
P04	工作经验	1=是；2=否	1.3641	0.4814
P05	教育程度	1=本科及以下；2=本科以上	1.2363	0.4250
P06	工作岗位	1=管理技术；2=检查；3=检查管理；4=一般工作；5=其他	2.2733	1.1742
P07	总体安全状况	1=很好；2=比较好；3=一般；4=比较差；5=很差	2.3280	0.8003
P08	被检查人员配合程度	1=非常配合；2=比较配合；3=不太配合；4=很不配合；5=抵触情绪较大；6=抵触情绪很大	2.6367	1.3720
P09	企业安监与被检查部门的利益关系	1=完全一致；2=既一致又矛盾；3=矛盾大于一致	1.8384	0.6192
P10	被检查部门的抵触性	1=领导的抵触性小，员工抵触性大；2=领导抵触性大，员工抵触性小；3=领导员工抵触性都比较大	2.0981	0.8093

表 3-13（续）

变量名称	变量描述	变 量 内 容	均值	标准差
P11	集团公司与企业安监部门的利益关系	1＝完全一致；2＝既一致又矛盾；3＝矛盾大于一致	1.8891	0.7487
P12	集团安检的作用	1＝具备一定的指导作用；2＝作用不大	1.6551	0.4755
P13	企业领导的态度	1＝生产为主；2＝生产与安全并重；3＝安全第一；4＝在事故后重视安全	2.4188	0.8094
P14	安监部门的重要性	1＝非常重要；2＝名义上重要；3＝地位较为合理；4＝时间越长，地位越低	2.0924	1.0667
P15	企业安监人员素质	1＝素质很高；2＝素质一般；3＝素质较差	1.6947	0.7244
P16	工作压力	1＝非常大；2＝比较大；3＝一般；4＝无压力	1.9984	0.8240

3.4.4 煤矿一线生产工作人员关联性分析

在煤矿一线生产工作人员的调查问卷中，对变量进行量化表示，如在专业变量中，对各选项分别进行赋值，"与煤矿生产与安全有关＝1，与煤矿生产与安全无关＝2"，其余变量的量化表示类似。故变量赋值及各变量的均值、标准差见表3-15。

另外，本节将重点分析一线生产工作人员的行为与各影响因素的关联关系。在当前研究的基础上，并与煤矿企业安监人员及

表 3-14 煤矿安全生产检查人员变量间的相关系数表

变量名称	P01	P02	P03	P04	P05	P06	P07	P08	P09	P10	P11	P12	P13	P14	P15	P16
P01	1															
P02	-0.047	1														
P03	0.017	0.533**	1													
P04	0.233**	-0.278**	-0.031	1												
P05	0.115**	-0.193**	-0.015	0.165**	1											
P06	0.234**	-0.001	0.003	0.086**	-0.07*	1										
P07	0.124**	-0.027	-0.002	0.122***	0.044	0	1									
P08	0.056*	0.117**	0.045	0.009	-0.05	-0.006	0.395**	1								
P09	0.033	-0.005	0.078**	0.152**	-0.002	0.047	0.253**	0.231**	1							
P10	0.031	-0.058*	-0.027	0.038	0.035	0.004	0.017	0.055	-0.029	1						
P11	0.016	0.036	0.026	0.074**	-0.014	0.064*	0.23**	0.301**	0.395**	-0.032	1					
P12	0.073**	-0.133**	0.051	0.12**	0.109**	-0.034	0.082**	-0.021	0.032	0.113**	-0.132**	1				
P13	-0.038	0.138**	0.09**	-0.109**	-0.122**	0.182**	0.021	0.144**	0.093**	-0.043	0.18**	-0.126**	1			
P14	0.057*	-0.012	0.077**	0.151**	-0.011	-0.024	0.182**	0.234**	0.146**	0.025	0.195**	0.126**	-0.024	1		
P15	0.092**	-0.095**	0.009	0.085**	0.126**	0.029	0.298**	0.144**	0.189**	0.025	0.172**	0.102**	-0.112**	0.268**	1	
P16	0.122**	-0.206**	-0.034	0.156**	0.075**	-0.001	0.048	-0.082**	0.07*	-0.005	0.031	0.134**	-0.027	0.186**	0.112**	1

相关学者进行讨论，将日常工作过程中发生工作安全与工作进度出现矛盾时，员工的选择作为因变量（Y），并从个体因素（个体特征、员工感知）与组织因素（环境支持、安全管理系统）四个方面研究其与员工不安全行为之间的关系，自变量与因变量的具体信息见表3-15。

表3-15　变量设置与数据的统计特性

变量过程	变量描述	变 量 内 容	均值	标准差
Y	安全行为	1=安全行为；0=其他	0.745	0.436
W01	年龄	1=25岁以下；2=26~35岁；3=36~45岁；4=45岁以上	2.097	0.841
W02	工作经验	1=5年以内；2=5~10年；3=11~20年；4=超过21年	1.832	1.220
W03	合同性质	1=合同制人员；0=非合同制人员	0.853	0.355
W04	教育水平	1=初中及以下；2=高中；3=技校；4=中专；5=本科；6=研究生（博士）	2.746	1.378
W05	亲属任职煤矿	1=是；0=否	0.635	0.482
W06	亲属居住煤矿	1=是；0=否	0.435	0.496
W07	家人安全提醒	1=从不提醒；2=偶尔提醒；3=经常提醒；4=总是提醒	3.678	0.603
W08	领导安全提醒	1=从不提醒；2=偶尔提醒；3=经常提醒；4=总是提醒	3.234	0.511
W09	同事安全提醒	1=从不提醒；2=偶尔提醒；3=经常提醒；4=总是提醒	3.094	0.506
W10	安全感知	1=不如生产重要；2=一般；3=重要；4=非常重要	3.820	0.474

表 3-15（续）

变量过程	变量描述	变　量　内　容	均值	标准差
W11	工作压力	1 = 没有压力；2 = 一般； 3 = 比较大；4 = 非常大	3.214	0.711
W12	领导班前会的内容	1 = 没有班前会；2 = 不关心； 3 = 老一套；4 = 只讲工作； 5 = 讲工作多，安全少； 6 = 安全和工作都重要	5.812	0.704
W13	检查人员素质	1 = 很差；2 = 一般； 3 = 比较高；4 = 非常高	2.507	0.862
W14	管理制度健全	1 = 非常不健全；2 = 一般； 3 = 比较健全；4 = 很健全	2.960	0.899
W15	管理制度的严格性	1 = 不严格；2 = 一般； 3 = 严格；4 = 非常严格	3.132	0.746

　　为进一步分析自变量与因变量之间的因果关系，并且消除自变量之间的相关关系，本书采用因子分析法对自变量进行降维处理。首先，根据 KMO 与巴特雷特球形检验结果可知，源数据各变量具备较强的相关性，适合做因子分析，实验结果见表 3-16。

表 3-16　KMO 与巴特雷特检验

KMO 值		0.650
巴特雷特球形检验	卡方值	3301.539
	自由度	105
	显著性水平	0.000

　　随后，运用主成分分析确定公因子，实验结果见表 3-17 与表 3-18。

表 3-17　提取后主成分的特征值

| 因子 | 解释总方差 | | | | | | | | |
| | 初始特征值 | | | 提取载荷平方和 | | | 旋转载荷平方和 | | |
	总计	方差百分比	累计	总计	方差百分比	累计	总计	方差百分比	累计
1	2.666	17.773	17.773	2.666	17.773	17.773	1.992	13.281	13.281
2	2.046	13.643	31.416	2.046	13.643	31.416	1.736	11.574	24.855
3	1.545	10.298	41.713	1.545	10.298	41.713	1.596	10.639	35.494
4	1.143	7.623	49.337	1.143	7.623	49.337	1.473	9.820	45.313
5	1.042	6.946	56.283	1.042	6.946	56.283	1.443	9.619	54.932
6	1.027	6.847	63.130	1.027	6.847	63.130	1.230	8.196	63.130
7	0.947	6.313	69.443						
…	…	…	…						
16	0.216	1.443	100.000						

表 3-18　因子得分矩阵

序号	因子	PC1	PC2	PC3	PC4	PC5	PC6
W01	安全行为	0.919					
W02	年龄	0.879					
W03	工作经验						0.747
W04	合同性质						0.537
W05	教育水平					0.808	
W06	亲属从事煤矿					0.821	
W07	亲属居住煤矿		0.548				
W08	家人安全提醒		0.769				
W09	领导安全提醒		0.782				

表 3-18（续）

序号	因子	PC1	PC2	PC3	PC4	PC5	PC6
W10	同事安全提醒				0.716		
W11	安全感知				−0.481		
W12	工作压力			0.570			
W13	领导班前会的内容			0.740			
W14	检查人员素质			0.742			
W15	管理制度健全				0.614		
	新因子	经验因子	环境支持因子	组织管理因子	个人感知因子	亲属因子	教育因子

注：提取方法：主成分分析；旋转方法：Kaiser 标准化最大方差法，矩阵在 14 后收敛。另外，为了便于提取新因子，在因子得分矩阵中，未显示小于 0.4 的得分。

在上述结果的基础上，由于因变量（被解释变量）为逻辑变量，即员工在工作过程中面临任务进度与工作安全出现矛盾时的选择，若选择"在生产前确保安全"，则取值为 1，若选择其他选项，则赋值为 0。故在对自变量进行降维处理后，本书选用 Logistic 回归模型对提取后的因子与被解释变量间的关系进行回归。由于因变量设定为员工面临工作安全与任务进度矛盾时的选择，员工会在综合考虑解释变量的基础上依据效益最大化的原则做出理性判断，而 Logistic 回归模型正是基于该原则将逻辑分布作为随机误差项进行概率分布的一种选择模型。其具体的数学表达式如式（3-1）所示：

$$\text{Logis}P = \text{Ln}\frac{P(Y)}{1-P(Y)} = \beta_0 + \beta_1 \cdot X_1 + \cdots \beta_k \cdot X_k \quad (3-1)$$

在式（3-1）中，$P(Y)$ 代表员工选择不安全行为的概率，X_i（$i=1, 2, \cdots, n$）代表利用主成分分析提取的公因子，β_j（$j=0, 1, \cdots, n$）代表待估参数，通过最大似然估计进行求解。实验结果见表 3-19。

表 3-19 Logistic 回归输出结果

模型	-2 Log likelihood	Cox and Snell R^2	Nagelke-rke R^2	变量	系数	标准差	Wald	Sig	95% C. I. for Exp(B)	
									Lower	Upper
模型 1	1270.354	0.092	0.135	PC4	0.719	0.072	99.441	0.000	1.782	2.364
				Constant	-5.809	0.689	71.001	0.000		
模型 2	1214.826	0.132	0.195	PC2	0.584	0.083	49.846	0.000	1.525	2.108
				PC4	0.597	0.075	63.569	0.000	1.568	2.103
				Constant	-8.746	0.843	107.670	0.000		
模型 3	1210.452	0.135	0.199	PC2	0.520	0.088	34.842	0.000	1.415	1.999
				PC3	0.230	0.062	4.370	0.000	1.008	1.286
				PC4	0.530	0.081	42.841	0.000	1.449	1.990
				Constant	-8.290	0.867	91.516	0.000		

在逐步 Logistic 回归过程中，分别计算了 -2Log likelihood、Cox and Snell R^2 等参数值，通过特征参数值的分析，可知模型 3 对数据的拟合效果最好。并且，由 Wald 检验发现，"员工感知因子（Factor4）"在三个回归模型中最显著（Wald 检验值分别为 99.441，63.659，42.841）。因此，根据回归结果，将初始变量代入模型中，可得最终员工选择安全行为的概率表达式：

$$p = \frac{1}{1 + e^{-(-8.290 + 0.520 \times PC2 + 0.130 \times PC3 + 0.530 \times PC4)}} \quad (3-2)$$

其中：

$$\begin{cases} F2 = 0.548 \times SE03 + 0.769 \times SE04 + 0.782 \times SE05 \\ F3 = 0.57 \times SMS01 + 0.74 \times SMS02 + 0.742 \times SMS03 \\ F4 = 0.716 \times IP01 - 0.481 \times IP02 + 0.614 \times SMS04 \end{cases}。$$

为了深入探索各影响因素与煤矿员工安全行为之间的关系，在下文中将对煤矿员工选择安全行为的概率函数进行进一步的分析。

（1）员工感知因素。包括员工对安全的态度，员工的压力以及管理制度的严格程度三个指标，通过表3-19可知，该因素与员工选择安全生产的概率正相关。在三个模型的回归过程中，"员工感知因素"对煤矿员工安全行为的影响最为显著。具体来说，当员工对安全的重视程度越高，其选择安全行为的可能性越大。通过式（3-2）可以发现工作压力与员工感知因素负相关，换言之，员工的工作压力与其安全行为呈负向变化。本书给出的解释如下：当员工感受的工作压力越大时，则会追求更快的速度去完成任务，然而在此过程中发生不安全行为的概率就会大大增加，进而提高了事故发生的可能性；煤矿行业属于高危行业，工作过程有着严格的行为规范，当管理制度越严格，员工或心生畏惧，则选择不安全行为的可能性会越低。

（2）环境支持因素。包含了家人、同事以及领导的安全提醒三个指标，结果表示该因素对员工选择安全行为的概率有正向作用。通过表3-19发现当员工所处的工作环境有着良好的安全氛围，其会更可能地去选择安全生产行为，Taiwian在研究中也得到了类似的结论，强调同事的安全支持以及领导的安全提醒是影响安全行为的潜在原因，并对安全行为有着显著的正向影响。

（3）安全管理因素。包含了领导的行为、组织的管理制度是否健全以及安监人员的素质，该因素与员工选择安全行为的概率也存在显著的正向关系。当管理者在班前会强调安全的次数越多，或组织的安全生产制度越健全，或安监人员的素质越高，员工则会以更高的概率去选择安全行为。对于安监人员的素质与员工安全行为的关系，本文给出的解释如下：煤矿安监人员主要负责对一线员工的行为进行监督，若安监人员的素质水平较低，对员工的行为误判，或者处理不当等均可对员工产生负面影响，甚至产生抵触情绪，进一步提高了员工进行不安全行为的概率。

（4）经验因素。在相关研究中，已有学者在研究中均指出个体特征，如年龄、经验等，均与个体行为之间存在较为显著的关系。但在本书研究中，煤矿员工的"经验因素"与员工行为之间的关系却不显著。为了进一步探索煤矿员工的"经验因素"

与其行为之间的关系，本文利用泊松回归对两者之间的关系进行验证，泊松回归的结果见表3-20与表3-21。

表3-20　煤矿员工年龄与行为泊松回归结果

年 龄 分 组	不安全行为		安全行为	
	β	$E(\beta)$	β	$E(\beta)$
25 岁以下（参照组）	—	—	—	—
26 ~ 35 岁	0.52 * *	3.73	1.46 * *	6.18
36 ~ 45 岁	1.63 * *	5.34	2.13 * *	7.86
45 岁以上	2.12 * *	7.63	3.57 * *	13.17
截距项	2.62			
Chi-square（Pro > Chi^2）	316（0.00）		2173（0.00）	

注：＊＊在95%显著性水平下显著，β 和 $E(\beta)$ 分别表示参数估计和幂参数估计。

表3-21　煤矿员工工作时间与行为泊松回归结果

工作时间分组	不安全行为		安全行为	
	β	$E(\beta)$	β	$E(\beta)$
5 年以内（参照组）	—	—	—	—
5 ~ 10 年	1.64 * *	5.89	1.73 * *	6.27
11 ~ 20 年	1.27 * *	3.62	1.34 * *	4.10
20 年以上	-0.76 * *	0.06	-1.21 * *	0.05
截距项	4.31		6.26	
Chi-square（Pro > Chi^2）	427.8(0.00)		4790.8(0.00)	

注：＊＊在95%显著性水平下显著，β 和 $E(\beta)$ 分别表示参数估计和幂参数估计。

由表3-20可知，年龄分组在26 ~ 35 岁，36 ~ 45 岁和45 岁上的员工选择不安全行为的概率为25 岁以下员工选择不安全行为概率的3.73 倍、5.34 倍和7.63 倍，并且估计结果在95%的显著性水平显著。同时，由表3-21可得，工作时间分组在5 ~ 10 年，11 ~ 20 年的员工选择不安全行为的概率为5 年之内员工选择不安全行为概率的5.89 倍和3.62 倍，并且估计结果在95%

的显著性水平下显著。

　　通过对表3-20和表3-21的综合分析发现，与工作经验丰富员工相比，缺乏经验员工会以更高的概率去选择安全生产行为。至于该现象的原因，本书提出两方面的猜想：一个是缺乏经验员工在工作过程中只能按照规章制度进行生产，而经验丰富的员工可能按照自己的经验选择生产行为，进而诱发不安全行为；另一个则是年轻员工尚未经历过安全事故，对安全事故心存敬畏，从内心感知不安全行为可能导致重大伤亡，从而以更高概率表现出安全行为。

4 煤矿生产安全管理中多方博弈模型

煤矿安全生产是国内外普遍关注的一个重大经济及社会问题，安全管理是安全生产的基石。煤炭的开采是安全风险很高的生产过程，加强对煤炭开采过程中的安全管理，能够有效地减少甚至避免安全事故的发生。现有文献研究多从管理者和被管理者相互博弈的角度，运用完全信息或者不完全信息下静态博弈、动态博弈以及有限理性下演化博弈等方法研究了安全管理相关各方的行为博弈，取得了丰富的理论研究成果，相关的研究结论具有一定的指导意义和实践应用价值。然而，针对安全管理中利益相关者全面参与的多方博弈模型建立和求解分析，相关的研究文献并不常见。

煤矿企业生产的安全管理过程中，煤矿生产受到多个层次的安全检查和监督。例如，煤矿一线生产工人之间的相互监督，煤矿企业集团内部安全检查组（简称企业安检组）的检查与监督，还有煤矿企业集团外部的煤炭行业协会、各级政府主管部门、社会团体（新闻媒体）等利益相关各方的监察监督等。煤矿生产安全管理博弈的参与人为监管方和被监管方，针对安全生产任务与生产收益分配进行博弈，主要用于解决煤矿生产安全管理构建约束激励机制，提高监管效率等问题。因此，考虑到利益相关者的多样性，本研究首先建立一个由煤矿生产安全管理系统中各个利益相关群体广泛参与的多方博弈模型，对相关的利益群体的博弈行为和策略选择进行理论研究和分析。通过研究各利益相关者的博弈策略选择，揭示煤矿生产安全管理系统中各利益主体的内在联系，进而解决煤矿生产安全管理中的企业、员工及煤矿安监机构等多方在监管成本分担、企业生产效益分配等方面的问题。

4.1 基本假设与符号约定

假设煤矿生产安全管理系统中多方利益群体博弈过程涉及 n 个利益相关者群体，其中第一个参与方（参与人1）为煤矿一线工人，其余为企业内部及外部的各级生产安全监管部门。这样，博弈参与人之间的监督与被监督关系就会形成有层次关系的网络结构图（图4-1）。

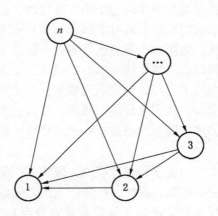

图4-1 监管博弈层级网络图

本书假设各级监管部门对参与人1的监管行为是直接进行的（例如对生产工人的日常考勤、技术标准、工作效率等检查工作），而各级部门对其所属的下级安监部门的监督行为是间接进行的。也就是说，只要是发现了参与人1（煤矿工人）的安全生产出现问题，就认为所属下级安监部门没有正确履行安全监察的职责，就应该对其进行处罚。

考虑到煤矿安全利益群体的关系，本书还假设：

（1）参与人1（煤矿工人）的博弈策略分别为安全生产与不

安全生产[①]，假设煤矿的生产效益与安全生产投入为正比例关系，产生 1 个单位的生产效益正常需要的安全投入成本设为 c_1。

（2）参与人 2（煤矿企业内部的安检组）的博弈策略为检查与不检查[②]，每次安全检查需要投入成本设为 c_2；

（3）参与人 3，…，参与人 n（煤矿企业外部各个层次的煤炭行业或者各级煤矿安监机构）的博弈策略为监察与不监察[③]，每次安全监察需要投入成本设为 c_i，$i=3$，…，n；

（4）安全监察部门发现参与人 1 进行不安全生产时，会对其进行惩罚，惩罚指数设为 f_1。

（5）上级监察部门发现参与人 1 的不安全行为时，会对下级监察部门进行处罚。设各级监察部门选择不检查策略时，可能受到的惩罚指数为 f_i，$i=2$，3，…，$n-1$。

（6）本书认为煤矿生产安全管理中各个层次的检查监督工作并不是相互独立的，一旦检查者检查出不安全行为，就会立即制止其不安全行为并进行处罚，这样上一层级的监察就没有必要再进行。

（7）设 $\theta_i \in [0，1]$，$i=1$，2，…，n 为各级监察部门对参与人 1 不安全行为的检出率，表示各级监察部门采取的安全监察行为时能够发现参与人 1 不安全行为的概率。其中，θ_1 为煤矿生产人员相互之间进行安全监督检查（例如通过煤矿生产班组的班前会、井下值班队长等进行的矿工之间的安全检查）时，不安全行为的检出率。θ_i 的大小体现了相关参与人生产技术水平、安全技能和安全意识等因素的高低。

---

①　本书中不安全生产指的是煤矿生产工人存在违反现行安全管理制度和企业规章制度的操作行为，如不正确穿戴安全设备、下井携带危险物品、违规穿行、不正确使用专用工具、机车司机违规驾驶等。

②　有些煤矿企业存在生产安全管理机构不健全，不落实安全生产责任制及隐患排查治理等各项制度等监管失位现象。

③　有些地方政府所属煤矿安监局依然存在属地管理混乱，监管执法不严，处罚不到位，追究责任轻，违法成本低等问题。

关于博弈模型中参数的说明：

说明 1：如果只是从经济利益方面上考虑，参与人的安全投入成本 c_i，$i=1$，2，$\cdots$，n 可以认为是利益相关者的获益（工作薪酬等）在当期煤矿企业产值中的比例[①]。

说明 2：推广来讲，参与人的安全投入成本 c_i 等模型参数广义上也可以认为是参与人各种安全投入与支出的总和，不仅包括利益相关者的经济方面（货币形式）的投入，还可以包括量化了的劳动力、物力、时间等方面的付出。类似的，参与人可能收到的惩罚指数 f_i 包括经济方面（货币形式的工资、奖金等）方面的损失，也可以包括可以量化的社会声誉、道德风险以及社会价值等方面的损益。本书中模型建立与分析过程中，有关于模型参数的讨论大多是基于第二种广义上考虑的情况。

根据煤矿安全生产和检查、监督过程中实际情况，一般来讲，煤矿工人的安全生产投入 c_1 要比各级监管机构的监管成本 c_i 要大一些，而低级别的安全监管机构的监察成本（由于更熟悉生产过程、生产环节和生产环境）应该会比高级别安全监察机构的成本要小。不安全行为的检出率方面也有类似情况，煤矿生产工人的同事（同班组）之间相互监督检查的时候，由于技术特点、工作习惯等各方面非常熟悉而且长时间共同工作，不安全行为的检出率就会比较高。高级别安全监察机构由于检查范围广、任务

---

① 例如，某月份某企业的煤炭总产值为 T 万元，而一线生产工人的工资共计 S 万元，则认为相应的（单位收益下的）安全投入成本 $c_1 = \dfrac{S}{T}$。类似的，惩罚指数 f_i 可以认为是参与人受到的罚金与当期企业产值的比值。假设某月份某企业的煤炭总产值为 T 万元，企业共有 n 个一线生产工人，则每人每天的产值为 $t = \dfrac{T}{30n}$ 万元。而假设其中有 m 人次因为违规操作等不安全行为被处罚，罚金共计 F 万元。那么，$f_1 = \dfrac{\frac{F}{m}}{t} = \dfrac{F}{mt}$。

重，很多的时候只能采用随机抽样等方式进行安全监督和检查，不安全行为的检出率相对会低一些。另外，各个参与人可能受到的惩罚应该不会低于可能会获得的最大收益 1。

因此，本书假设博弈模型中参数满足如下条件：

① $0 \leqslant c_2 \leqslant c_3 \leqslant \cdots \leqslant c_n \leqslant c_1 \leqslant 1$；

② $f_i \geqslant 1$，$i = 1, 2, \cdots, n$；

③ $0 \leqslant \theta_n \leqslant \cdots \leqslant \theta_2 \leqslant \theta_1 \leqslant 1$。

4.2 煤矿安全管理中多方博弈模型

煤矿生产安全管理中各方博弈过程主要与利益与安全责任分配有关。根据前述的模型基本假设，可以得出煤矿生产安全管理中利益相关各方的收益（也称支付、回报）。需要特别指出的是，本书中所谓的收益也是量化的利益相关者的获利或者回报，包含但不局限于工资、奖金等货币形式的收入和获益，还应该包含职工晋升资质、企业认同感、各级考核成绩等可以量化的、与参与人自身收益切实相关的获利或者回报。

假设参与人 i 选择安全生产（或者安全检查、安全监管等）策略的概率是 $x_i \in [0, 1]$（$i = 1, 2, \cdots, n$）[①]。那么，参与人 1（煤矿工人）的期望收益[②]是：

$$u_1 = x_1 c_1 - (1 - x_1)(1 - \theta_1)$$

$$\left[x_{2\theta_2} + (1 - x_2)x_3\theta_3 + \cdots + x_{n\theta_n} \prod_{i=2}^{n-1}(1 - x_i) \right] f_1 =$$

$$-x_1 c_1 - (1 - x_1)(1 - \theta_1) \left\{ x_2\theta_2 + \sum_{j=3}^{n} \left[x_j\theta_j \prod_{i=2}^{j}(1 - x_i) \right] \right\} f_1$$

$$(4-1)$$

其中，公式（4-1）等号右端第一项 $-x_1 c_1$ 为参与人 1 的安

---

① 也可以认为是第 i 个参与人群体中选择安全生产或者安全监管策略的比例。

② 借用概率论中数学期望的概念，在本文中期望收益（简称收益）指的是概率意义下参与人收益的均值。

全生产成本投入的均值（Mean，或者期望，Expectation）；右端

第二项 $-(1-x_1)(1-\theta_1)\left\{x_2\theta_2+\sum\limits_{j=3}^{n}\left[x_j\theta_j\prod\limits_{i=2}^{j}(1-x_i)\right]\right\}f_1$ 为参

与人 1 的可能受到的惩罚指数的均值。

其他参与人（各级安全监察部门）的期望收益分别是：

$$u_2=-x_2c_2-(1-x_1)(1-x_2)$$

$$\left\{x_3\theta_3+\sum\limits_{j=4}^{n}\left[x_j\theta_j\prod\limits_{i=3}^{j}(1-x_i)\right]\right\}f_2+(1-x_1)x_2\theta_2f_1 \quad (4\text{-}2)$$

$$u_3=-x_3c_3-\prod\limits_{i=1}^{3}(1-x_i)\left\{x_4\theta_4+\right.$$

$$\left.\sum\limits_{j=5}^{n}\left[x_j\theta_j\prod\limits_{i=4}^{j}(1-x_i)\right]\right\}f_3+x_3\theta_3(f_1+f_2)\prod\limits_{i=1}^{2}(1-x_i)$$

$$(4\text{-}3)$$

$$\vdots$$

$$u_{n-1}=-x_{n-1}c_{n-1}+\left[x_{n-1}\theta_{n-1}(f_1+f_2+\cdots+f_{n-2})\right.$$

$$\prod\limits_{i=1}^{n-2}(1-x_i)-x_n\theta_nf_{n-1}\prod\limits_{i=1}^{n-1}(1-x_i) \quad (4\text{-}4)$$

$$u_n=-x_nc_n+x_n\theta_n(f_1+f_2+\cdots+f_{n-1})\prod\limits_{i=1}^{n-1}(1-x_i) \quad (4\text{-}5)$$

其中，u_i（$i=2,3,\cdots,n$）分别为煤矿生产安全管理中由低到高各层次的安全监管部门的收益。显然，参与人采取某个策略的收益，也依赖于其他的参与人采取的策略选择。例如，公式（4-3）表示参与人 2（煤矿企业内部安全检查组）的收益。公式（4-5）右端第一项 $-x_2c_2$ 为参与人 2 的安全生产成本投入的均值，

第二项 $-(1-x_1)(1-x_2)\left[x_3\theta_3+\sum\limits_{j=4}^{n}\left(x_j\theta_j\prod\limits_{i=3}^{j}(1-x_i)\right)\right]f_2$ 为参

人 n 的受到的惩罚指数的均值，第三项 $(1-x_1)x_2\theta_2f_1$ 为参与人 2 选择安全检查策略时对参与人 1 选择不安全生产行为策略的罚金指数的均值。

由于工人的安全生产奖励一般表现为季度奖、年终奖等，具有滞后性，在本章建模过程中没有具体考虑。考虑到煤矿工人的工资、

安全检查部门的补贴等收益在一定时期内均为固定数值，对于其收益函数后续的分析与优化过程没有实质影响，本书也将其忽略。

另外，由于新闻媒体、周围群众等社会团体的收益函数以及煤矿企业的声誉损失、道德风险等难以量化，本书没有具体考虑。所以，在本书中参与人 n 的收益 u_n 指的是最高级别的煤矿相关政府主管部门（例如，国家煤矿安全监察局）的收益。其中，公式（4-5）右端第一项 $-x_n c_n$ 为参与人 n 的安全生产成本投入的均值；右端第二项 $x_n \theta_n (f_1 + f_2 + \cdots + f_{n-1}) \prod_{i=1}^{n-1} (1 - x_i)$ 为参与人 n 对其他参与人所进行处罚的罚金指数的均值。

4.3　多方博弈模型分析

假设博弈参与各方都是完全理性的，均以自身利益最大化为目标。由于信息不对称，虽然博弈行为的选择是有先后次序的（一般是先有煤矿工人的生产行为，安全主管部门再进行安全检查），但参与人的博弈行为选择以及选择的概率却难以明确。此时，博弈模型可以看作是不完全信息下静态博弈模型进行理论分析。

（1）博弈各方的总收益为：

$$\sum_{i=1}^{n} u_i = -\sum_{i=1}^{n} c_i x_i \leqslant 0 \qquad (4-6)$$

这说明：

① 安全监察是有成本的，安全监察的层级越多，付出的总成本就越大。

② 在过去，煤矿企业内部甚至地方政府部门普遍存在"重经济效益，轻安全管理"思想。为了降低经济损失，利益相关各方相互妥协，减少安全监察层次（监管失位），降低安全检查力度（x_1，x_2，$\cdots$，x_n），以图实现经济利益上的共赢。这也是多年来我国煤矿安全管理工作效率低，安全管理水平不高的原因之一。

③ 煤炭开采企业必须通过对日常生产中的安全问题进行严格的管理，对安全事故进行处理和防范，才能保证煤炭开采企业

的持续发展。

因此，要想降低利益相关各方的共谋和妥协，提高安全监管效率，就要求煤矿安全监察工作不应该停留在企业内部，还需要政府部门、社会团体等外部的监管力量，以提升煤炭生产企业的安全生产意识。要强化地方党委政府领导责任、部门监管责任、企业主体责任落实，严格责任追究，着力推动安全生产责任落实。

（2）博弈参与人的收益 u_i 对模型参数 c_i 的导数为

$$\frac{\partial u_i}{\partial c_i} = -x_i \leq 0 \quad (i = 1, 2, \cdots, n) \tag{4-7}$$

这说明，各个博弈参与人的收益与安全生产（或者安全监察）成本投入负相关，降低安全行为的成本就会使得收益函数增加。当然，安全成本投入的降低并不是指的是经济意义上生产投入的减少，绝不意味着安全生产资料的减少和生产操作规范的弱化。降低安全成本投入，也可以从生产技术水平和安全生产效率的提高等方面得以体现。例如，如果煤炭生产一线的工人具有较高技术水平，那么其从事某项具体工作任务需要花费的时间和劳动力都可以适当减少。

① 对于参与人1来讲，降低成本（c_1）就要求生产工人提升自身的生产力水平，包括生产技术水平、安全操作技能及安全素质等各方面。有些煤矿生产工人和管理人员的安全意识不强，总是凭借主观思想来决定安全意识和行为选择，对开采过程当中存在的安全隐患不能够及时的发现和处理，长此以往就难免会引发安全生产事故。开展安全技术知识和安全素质的培训与教育，不但可以增强煤矿工人的安全技术知识，培养其安全思想意识等，还能提高煤矿工人的综合素质和工作能力，进而提高其安全行为选择的科学性和安全行为的可靠性等。

因此，安全培训对煤矿员工有意无意选择不安全行为都有重要的影响作用。但是从另外一个方面来讲，安全技能学习和培训需要企业和个人投入大量的时间、资金和精力，短期内还可能会影响企业生产任务的完成，并且安全培训的长期目标要求高、短期效果不明显、工作难度大等，这些都很容易造成管理者轻视员工的教育与培训工作。

② 对于各级监察机构来说，降低安全监察成本（c_i，$i = 2$，3，$\cdots$，n）意味着相关安全监察人员具备较强的安全监察执法能力和安全管理水平。同时，也要求煤矿企业的生产过程中积极配合安全监察部门的监督和检查工作，不对抗，不隐瞒。

（3）博弈参与人的收益 u_i 对模型参数 f_i 的导数为

$$\frac{\partial u_i}{\partial f_1} = -(1 - x_1)(1 - \theta_1)\left\{ x_2\theta_2 + \sum_{j=3}^{n}\left[x_j\theta_j\prod_{i=2}^{j}(1 - x_i)\right]\right\} < 0$$

$$(4-8)$$

$$\frac{\partial u_i}{\partial f_i} = -\prod_{j=1}^{i}(1 - x_j)\cdot\left\{ x_{i+1}\theta_{i+1} + \sum_{k=i+2}^{n}\left[x_k\theta_k\prod_{l=i+1}^{k-1}(1 - x_l)\right]\right\} < 0$$

$$(1 < i < n) \qquad (4-9)$$

这说明参与人的收益与自身可能受到的惩罚指数（f_i）负相关。在本书后续研究的结论表明，惩罚措施是煤矿生产安全过程中非常重要的管理手段。但是过于严厉的惩罚制度在实施过程中往往存在各种问题和障碍。过于严厉的惩罚措施会造成参与人利益受损，可能会导致参与人（特别是煤矿工人）工作消极、失去工作热情等不良后果，对煤炭生产企业的煤矿计划的完成会造成一定的限制，也会对生产和安全管理产生不好的影响。

因此，一个良好的惩罚策略机制不是靠提高罚款绝对的额度或者无节制的惩罚力度来降低违法行为，而是将惩罚力度保持在一个相对合理的水平上，既能保障煤矿安全管理水平的持续性，又能够尽量避免造成安全管理过程的波动性。

（4）博弈参与人的收益 u_i 对模型参数 f_j（$j < i$）的导数：

$$\frac{\partial u_i}{\partial f_i} = x_i\theta_i\prod_{k=1}^{i}(1 - x_k) \geqslant 0 \qquad (1 \leqslant j < i \leqslant n) \qquad (4-10)$$

这说明上级监察机构对其监管对象（包括其下级监管机构和煤矿工人）的罚金，是上级监管机构的监管动力；另一方面，也说明了上级监管机构不仅仅对生产工人（参与人1）有监督作用，对其主管安全监察部门的工作也有促进作用。

（5）博弈参与人的收益 u_i 对模型参数 θ_i 的导数为

$$\frac{\partial u_1}{\partial \theta_1} = (1 - x_1)\left\{ x_2\theta_2 + \sum_{j=3}^{n}\left[x_j\theta_j\prod_{i=2}^{j}(1 - x_i) \right] \right\}f_1 \quad (4-11)$$

$$\frac{\partial u_2}{\partial \theta_2} = (1 - x_1)x_2f_1 \quad (4-12)$$

$$\frac{\partial u_3}{\partial \theta_3} = \prod_{i=1}^{2}(1 - x_i) \cdot x_3(f_1 + f_2) \quad (4-13)$$

$$\vdots$$

$$\frac{\partial u_{n-1}}{\partial \theta_{n-1}} = x_{n-1}(f_1 + f_2 + \cdots + f_{n-2})\prod_{i=1}^{n-2}(1 - x_i) \quad (4-14)$$

$$\frac{\partial u_n}{\partial \theta_n} = x_n(f_1 + f_2 + \cdots + f_{n-1})\prod_{i=1}^{n-1}(1 - x_i) \quad (4-15)$$

从以上公式容易看出，$\dfrac{\partial u_i}{\partial \theta_i} \geqslant 0$，$i = 1$，$2$，$\cdots$，$n$。

这说明参与人的收益与其对参与人 1 不安全行为的检出率 θ_i 正相关。也就是说，煤矿安全生产与管理中相关各方的生产技术水平、安全技能和安全意识的提升，就会使得自身的收益增加。这种情形下，要想达到预期的监管效果，政府部门的监管强度保持在较高水平。此时，企业有必要通过职业技术培训、引进高素质人才等措施，改善工人的职业素质和技术能力。

（6）多方博弈模型的一阶最优化条件。

参与人的最大收益意味着其经济利益、社会价值的最优适应性。每一个参与人都想要自身的收益最大化。但是一般来讲，最优化问题的最优解的充分必要条件是很难达到的。最优化（必要）条件是目标函数的最优解（全局最优或者局部最优）所必须要满足的条件，不仅对最优化问题的理论研究有意义，而且对最优化的求解、数值计算算法的设计以及最优化算法的终止条件等都有重要的作用。常用的最优化条件是一阶必要条件和二阶必要条件。本书选择一阶最优化（必要）条件对博弈模型进行求解分析。

博弈参与人的收益函数 u_i 对参与人安全行为选择的概率 x_i （$i=1$，2，$\cdots$，n） 的导数为

$$\frac{\partial u_1}{\partial x_1} = -c_1 + (1 - \theta_1)\left\{x_2\theta_2 + \sum_{j=3}^{n}\left[x_j\theta_j\prod_{i=2}^{j}(1 - x_i)\right]\right\}f_1 \quad (4-16)$$

$$\frac{\partial u_2}{\partial x_2} = -c_2 + (1 - x_1)\theta_2 f_1 + (1 - x_1)$$

$$\left\{x_3\theta_3 + \sum_{j=4}^{n}\left[x_j\theta_j\prod_{i=3}^{j}(1 - x_i)\right]\right\}f_2 \quad (4-17)$$

$$\vdots$$

$$\frac{\partial u_{n-1}}{\partial x_{n-1}} = -c_{n-1} + \left[\theta_{n-1}(f_1 + f_2 + \cdots + f_{n-2}) + x_n\theta_n f_{n-1}\right]\prod_{i=1}^{n-2}(1 - x_i) \quad (4-18)$$

$$\frac{\partial u_n}{\partial x_n} = -c_n + \theta_n(f_1 + f_2 + \cdots + f_{n-1})\prod_{i=1}^{n-1}(1 - x_i) \quad (4-19)$$

可以看出，博弈模型中的参数 f_i，θ_i（罚金与不安全行为检出率）与 $\frac{\partial u_i}{\partial x_i}$ 正相关，其取值越大，$\frac{\partial u_i}{\partial x_i}$ 越大。而安全监察成本 c_i 与 $\frac{\partial u_i}{\partial x_i}$ 负相关，其取值越大，$\frac{\partial u_i}{\partial x_i}$ 越小。

令 $\frac{\partial u_1}{\partial x_1} = \frac{\partial u_2}{\partial x_2} = \cdots = \frac{\partial u_{n-1}}{\partial x_{n-1}} = \frac{\partial u_n}{\partial x_n} = 0$，可得模型的一阶优化条件

$$\begin{cases} (1 - \theta_1)\left[x_2\theta_2\left[x_2\theta_2 + \sum_{j=3}^{n}\left(x_j\theta_j\prod_{i=2}^{j}(1 - x_i)\right)\right]\right]f_1 = c_1 \\ (1 - x_1)\theta_2 f_1 + (1 - x_1)\left\{x_3\theta_3 + \sum_{j=4}^{n}\left[x_j\theta_j\prod_{i=3}^{i}(1 - x_i)\right]\right\}f_2 = c_2 \\ \qquad\qquad\qquad\qquad \vdots \\ \left[\theta_{n-1}(f_1 + f_2 + \cdots + f_{n-2}) + x_n\theta_n f_{n-1}\right]\prod_{i=1}^{n-2}(1 - x_i) = c_{n-1} \\ \theta_n(f_1 + f_2 + \cdots + f_{n-1})\prod_{i=1}^{n-1}(1 - x_i) = c_n \end{cases}$$

$$(4-20)$$

由于煤矿生产安全管理涉及很多的利益相关群体，他们可能处于不同层次、相互之间既有合作也有斗争、相互依赖有时也存在利益冲突，具有十分复杂的关联性。所以，从煤矿安全监管实际出发建立的多方博弈模型包含了过多的变量和参数，其模型求解和具体的分析过程无疑是很难处理的。

在整个煤矿生产安全管理系统中，会存在一些紧密联系的子系统。在这些关联性更为紧密的子系统中，利益相关者群体相互之间的博弈行为更为直接。这些利益相关者与系统中其他群体的博弈行为，一般情况下也是可以通过子系统之间的关联性进行间接联系和处理。例如，煤矿企业内部的安全检查小组（企业安检组）与处于煤矿一线的井下采煤工人，日常工作中就是监管与被监管的关系；煤矿安监部门也会定期和不定期地对煤炭生产企业各个部门进行不同形式的监督监察行为，并制定与煤矿企业生产和安全切实相关的各项政策措施。这样，地方煤矿安监部门、企业安检组、矿工就会组成了一个关联关系紧密的利益相关者子系统。而国家煤监局与矿工之间的关联性可能需要各个级别的政府主管部门来间接体现。

因此，为了简化问题讨论，也是为了更清晰更准确的描述，本书以三方博弈模型为例，进行多方博弈模型的模拟求解和分析。

4.4 煤矿安全管理中的三方博弈模型

一般来讲，即使忽略社会团体对煤矿生产的外部性做出的义务监督，煤矿生产安全管理还至少涉及三个参与方：参与人1（煤矿工人，Coal miners），参与人2（企业内部安全检查组，Safety inspection groups inside coal mine enterprise），参与人3（政府主管安全监察部门，Safety regulatory departments of local government）。

煤矿工人（参与人1）的策略选择分别是：正确的方式安全生产（Right Way，R）以及不安全生产或者生产方法不正确

（Not Right Way，NR）；

企业内部安全检查组（参与人2）的策略选择分别是：安全检查（Inspection，I）以及不安全检查（No Inspection，NR）；

煤矿安监部门（参与人3）的策略选择分别是：安全监督（Supervision，S）以及不安全监督（No Supervision，NS）。博弈模型中监管方与被监管方之间的关系将形成有层次的博弈网络结构（图4-2）。

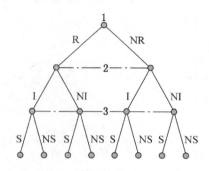

图4-2　三方监管博弈层级网络图

如果在前述基本假设的基础上，再假定：

① 同事（同班组工人）之间相互监督是及时的有效的（一旦发现问题就及时督促改正），并已经在上岗前完成，生产时不再进行；

② 各个监察机构的监督检查行为科学严谨，一旦进行监督检查就一定会发现存在不安全行为，即假设 $\theta_1 = 0$；$\theta_i = 1$，$i = 2$，3，$\cdots$，n。

那么，多方博弈就可以简化为三方监管博弈模型：

$$\begin{cases} u_1 = -x_1c_1 - (1-x_1)[x_2 + (1-x_2)x_3]f_1 \\ u_2 = -x_2c_2 + (1-x_1)[x_2f_1 - (1-x_2)x_3f_2] \quad (4\text{-}21) \\ u_3 = -x_3c_3 + (1-x_1)(1-x_2)x_3(f_1 + f_2) \end{cases}$$

令 $\dfrac{\partial u_i}{\partial x_i} = 0$，$i = 1$，$2$，$3$，得到博弈模型最优化一阶条件

$$\begin{cases} (x_2 + (1 - x_2)x_3)f_1 = c_1 \\ (1 - x_1)(f_1 + x_{3f_2}) = c_2 \\ (1 - x_1)(1 - x_2)(f_1 + f_2) = c_3 \end{cases} \quad (4\text{-}22)$$

解之可得

$$\begin{cases} x_1^* = 1 - \dfrac{2c_2}{(f_1 + f_2)(1 \pm \sqrt{\gamma})} \\ x_2^* = 1 - \dfrac{c_3(1 \pm \sqrt{\gamma})}{2c_2} \\ x_3^* = 1 - \dfrac{(f_1 + f_2)(1 \mp \sqrt{\gamma})}{2f_2} \end{cases} \quad (4\text{-}23)$$

或者

$$\begin{cases} x_1^* = 1 - \dfrac{c_3 f_1(1 \mp \sqrt{\gamma})}{2f_2(f_1 - c_1)} \\ x_2^* = 1 - \dfrac{c_3(1 \pm \sqrt{\gamma})}{2c_2} \\ x_3^* = 1 - \dfrac{2c_2(f_1 - c_1)}{c_3(1 \pm \sqrt{\gamma})} \end{cases} \quad (4\text{-}24)$$

其中，$\gamma = 1 - \dfrac{4c_2 f_2 (f_1 - c_1)}{c_3 f_1 (f_1 + f_2)}$。根据模型假设中参数取值情况，则有 $\gamma < 1$。

引理 4.1 根据公式（4-23），显然有 $x_1 \in [0, 1]$。

引理 4.2 方程的解（4-23）或（4-24）存在的必要条件是 $\gamma \geqslant 0$，即 $4c_2 f_2 (f_1 - c_1) \leqslant c_3 f_1 (f_1 + f_2)$。

通过不同的参数取值情况下对博弈模型模拟求解发现，非退化（Non-degenerate）混合策略纳什均衡（纯策略纳什均衡为退

化的混合策略均衡）存在性并不确定[①]。

需要指出的是，混合策略纳什均衡是一个随机稳定状态。在混合策略纳什均衡中，给定一方参与人的选择，其他参与人选择何种策略都是无差异的。当参与人策略选择偏离混合策略均衡概率时，对手选择产生更好效果的策略的概率会增加，博弈会出现动态性。

纳什均衡具有的一个良好的性质，所有参与人都能预测特定纳什均衡的出现，那么没有人有动力采用与均衡不同的行为选择。一旦参与人选择了非纳什均衡策略时，说明至少一个参与人在预测对手行为方面或者是优化自己收益方面"犯错误"。由于博弈的长期存在性，参与人犯错误的机会总是可能发生。因此，博弈的最可能结果实际上取决于参与人所获取的信息的完整程度，例如参与人对于博弈行为具有多少经验，参与人对于其他参与人博弈行为的特定期望等。

由此可见，在日常的安全管理过程中，除了严格按照法律法规的要求执行监督检查工作之外，还要充分发挥安全知识培训、安全意识宣传教育等辅助手段的作用，以创建本质安全型企业为主线，以提高广大职工的安全意识和自我保护安全能力为重点，可以采取充分利用广播、电视、板报、图片等多种形式，不断加大安全知识宣传教育力度，广泛深入地开展系统性安全教育活动，形成安全教育的重叠效应，筑牢思想上的防线。

---

① 例如，参数取值 $(c_1, c_2, c_3, f_1, f_2) = (0.2, 0.05, 0.1, 0.5, 1.5)$，可求得博弈模型的唯一的混合策略均衡点 $(0.927, 0.316, 0.123)$；参数取值调整为 $(c_1, c_2, c_3, f_1, f_2) = (0.4, 0.1, 0.2, 2, 3)$，博弈模型的混合策略均衡点为 $(0.95, 0.2, 0)$；当参数取值为 $(c_1, c_2, c_3, f_1, f_2) = (0.7, 0.2, 0.4, 4, 6)$，得到的混合策略均衡点为 $(0.956, 0.1, 0.083)$。

5 多方博弈模型的演化稳定性与约束激励措施

本章主要内容是通过研究三方博弈模型的演化过程，发现煤矿安全生产中的多方利益博弈模型不存在进化稳定策略，博弈模型的动力系统不满足自控性。为了对煤矿安全生产进行有效控制，要在原有检查监督规则的基础上，对煤矿安全检查或者政府机构监督行为进行必要的激励（监察成本补贴）或约束（强制性规定）措施。借助于动力系统稳定性理论和相位图分析方法对博弈模型进行理论分析和模拟仿真，研究发现有效的约束激励措施能够充分调动检查监督人员的主动性，促使生产者主动提高安全生产投入，以确保煤矿生产安全管理效率的稳定和提高。

经典博弈理论是在假设参与人是完全理性和完全信息条件下进行的。但在现实的经济生活中，参与人的完全理性与完全信息的条件是很难实现的。在企业的合作竞争中，参与人之间的差异性以及经济环境与博弈问题本身的复杂性总会导致信息不完全和参与人的有限理性。随着时间的推移和参与人对其收益函数的期望的改变，多方博弈行为选择也就具有了动态性，参与人安全生产行为与其他参与人的监管行为会不断发生变化。

在煤炭生产过程中，安全管理问题的复杂性也决定了多方博弈模型的动态性和有限理性。由于煤矿生产安全管理本身的特点，以及政府政策执行问题的复杂性和不同企业之间的理性差异，导致利益相关者的完全理性条件在现实生活中是不可能达到的。在实际煤矿安全监察博弈问题中，煤炭开采工人、政府监管部门与煤炭生产企业之间的监督博弈关系不仅是一个动态博弈，也是一个长期的博弈。博弈参与人往往不可能在一开始就找到最优的行为选择策略，而是在多次博弈过程中根据各自的利益目标和各种反馈信息，通过模仿、学习等各种动态过程寻找优化策略。

煤矿生产安全管理相关利益群体的有限理性和煤矿生产安全管理本身各种不确定性，导致博弈参与人的博弈行为及其演化过程往往表现出复杂的动态性。博弈均衡的波动性和反复出现的复杂情况，很容易让煤炭生产企业和政府监管部门对安全管理制度的实施做出错误的预测和估计。而过分乐观的估计或者悲观的怀疑会导致错误的博弈行为策略选择，也减弱了煤矿安全监管政策和措施的合理性和适用性。

5.1 煤矿生产安全管理中的多方博弈演化模型

在演化博弈理论中，每个参与人通过学习、模仿等行为动态调整自己的决策。演化博弈均衡的结果不仅仅是依赖于博弈的初始状态，外部环境的变化也会影响博弈的进化路径。经济系统的进化通常有多种不动点或均衡点的选择，传统博弈论告诉人们一个博弈存在多个可能的纳什均衡。演化博弈论则进一步指出哪一个才是现实中真正实现的均衡，它并不一定是帕累托最优的均衡。演化博弈论认为参与人并不能最大化自己的利益，不能对信息变化做出迅速的最优化反应，强调系统变迁中的动态过程。因此，本章利用演化博弈理论研究利益相关者策略选择的稳定性，寻找博弈行为控制的切入点，为煤矿生产安全管理制度与措施调控提供理论依据。

根据复制子动态方程（2-18）与三方博弈模型（4-21），本章首先引入煤矿生产安全管理中的多方博弈演化模型：

$$\begin{cases} \dot{x_1} = x_1(1 - x_1)[(x_2 + (1 - x_2)x_3)f_1 - c_1] \\ \dot{x_2} = x_2(1 - x_2)[(1 - x_1)(f_1 + x_3 f_2) - c_2] \\ \dot{x_3} = x_3(1 - x_3)[(1 - x_1)(1 - x_2)(f_1 + f_2) - c_3] \end{cases} \qquad (5-1)$$

显然

$$\dot{x}_i = x_i(1 - x_i)\frac{\partial u_i}{\partial x_i} \quad (i = 1, 2, 3) \tag{5-2}$$

由复制子动态方程（5-1）构造的动力系统存在 8 个纯策略均衡点 X_i（$i=0, 1, \cdots, 8$）：

（0, 0, 0），（1, 0, 0），（0, 1, 0），（0, 0, 1），（1, 1, 0），（1, 0, 1），（0, 1, 1），（1, 1, 1）。

除此之外，根据公式（4-23），动力系统还可能存在混合策略均衡点 X_9（x_1^*, x_2^*, x_3^*）。

5.2 博弈模型动力系统的演化稳定性

在讨论博弈模型动力系统（5-1）的稳定性之前，本书先以二维自治微分系统为例，对微分动力系统的稳定性分析中常用到的一些基本的概念（自治系统、平衡点等）和方法［特征值（Eigen value）法、相位图分析（Phase diagram analysis, PDA）法以及时间序列图（Time series graph, TSG）方法等］的相关知识和应用背景进行简单概述，相关定理的严格推导证明等更详尽的内容表述请查阅有关文献。

5.2.1 平衡点及其稳定性判定方法

定义 5.1 对于二维自治微分动力系统

$$\begin{cases} \dot{x} = F(x, y) \\ \dot{y} = G(x, y) \end{cases} \tag{5-3}$$

微分系统（5-3）中右端函数 $F(x, y)$，$G(x, y)$ 与时间变量 t 无关，或者说 $F(x, y)$，$G(x, y)$ 中不显含自变量 t，则系统（5-3）称为自治系统[①]；否则，称其为非自治系统。

---

① 也就是说，一个动力系统被称为自治（驻定）的，当且仅当这个系统由一组常微分方程组成，并且这些方程的表达式与动力系统的自变量 t 无关。或者，如果其自变量 t 没有显含在微分方程中，则称此方程是自治的（autonomous）。

定义 5.2 如果点（x_0，y_0）使得右端函数说 F（x，y），G（x，y）均为 0，则称该点为微分系统（5-3）的平衡点（也称奇点）。

引理 5.1 系统（5-3）对应的 Jacobian 矩阵为

$$J = \frac{\partial(\dot{x}, \dot{y})}{\partial(x, y)} = \begin{bmatrix} F_x & F_y \\ G_x & G_y \end{bmatrix} \tag{5-4}$$

在平衡点处（x_0，y_0）求出 J 的特征值，然后根据特征值的不同取值即可对微分动力系统的平衡点进行分类。

具体方法如下：

① 若 J 的所有特征值均为负实数，称（x_0，y_0）为稳定的结点；

② 若 J 的所有特征值（实数部分）为正数，称（x_0，y_0）为不稳定的结点；

③ 若 J 的特征值为复数，并且实数部分均为负数，称（x_0，y_0）为稳定的焦点；

④ 若 J 的特征值为复数，并且实数部分均为正数，称（x_0，y_0）为不稳定的焦点；

⑤ 若 J 的所有特征值（实数部分）有正数也有负数，称（x_0，y_0）为鞍点（不稳定）；

⑥ 若 J 的特征值均为纯虚数，称（x_0，y_0）为中心。

稳定的结点与焦点统称为汇，是因为在这些点处的特征值都有负实部，微分系统（5-3）的轨线都趋向于这些平衡点；不稳定的结点与焦点统称为源，解曲线随着时间变量 t 的增大向远离这些点的方向移动；在鞍点的领域上，既存在趋近该点的解曲线

---

① 这是因为，如果将微分系统（5-3）中两式相除得到一阶微分方程 $\dfrac{\mathrm{d}y}{\mathrm{d}x} = \dfrac{G(x, y)}{F(x, y)}$ 则在平衡点（x_0，y_0）处，该方程不满足解的存在唯一性条件（参见定理 5.1），方程的积分曲线没有确定的切线方向。

也存在远离的解曲线。

定义 5.3 设 (x_0, y_0) 为系统 (5-3) 的平衡点，如果对 (x_0, y_0) 的任一邻域 U，$\exists U_1 \subset U$，对于系统 (5-3) 的任意一条轨线 (见定义 5.4)，如果 $(x(0), y(0)) \in U_1$，则 $\forall t > 0$，$(x(t), y(t)) \in U$。则称平衡点 (x_0, y_0) 是稳定的。

如果平衡点 (x_0, y_0) 是稳定的，并且满足

$$\lim_{t \to +\infty}[x(t), y(t)] = (x_0, y_0) \tag{5-5}$$

则称 (x_0, y_0) 是渐近稳定的。

引理 5.2 平衡点为汇 (稳定的结点或焦点) 时，是稳定的，也是渐近稳定的；中心是稳定的，但不是渐近稳定的；源和鞍点都是不稳定的。

5.2.2 相位图分析方法

自治微分方程的相位图是常微分方程动力系统理论中的一个重要概念，它给出了微分方程组解的一种几何解释。

定义 5.4 二维一阶自治微分方程组 (5-3) 的解 $x = x(t)$，$y = y(t)$ 在相平面 xoy 上的轨迹称为动力系统 (5-3) 的轨线或相轨线，记为 $[x(t), y(t)]$。轨线在相平面上的图像称为动力系统 (5-3) 的相位图，又称轨线图、相图。

用轨线来研究微分系统 (5-3) 的解通常比用积分曲线方便。积分曲线可以不考虑方向，而轨线是一条有向曲线 (一般情况下，轨线上总是标注自变量 t 取值增大时的运动方向)。如果 $F(x, y)$，$G(x, y)$ 满足初值解的存在与唯一性定理条件，则过相平面上的区域 D 的任一点 (x_0, y_0)，微分动力系统 (5-3) 都存在唯一一条轨线，随着 t 的增加，点 $[x(t), y(t)]$ 沿这条曲线变化。

平面稳定性理论的研究就是在不求解的情况下，仅从微分方程 (5-3) 右端函数的性质出发，利用相位图进行动力系统稳定性分析。

一般情况下，通过微分方程组的相图比直接用积分曲线来研

究微分方程组的解更方便。有些情况下，特别是微分方程的求解比较困难或者无法求解时，该微分方程解的性质可通过相位图分析法得到较好的表述和分析。相位图分析方法具有直观性、动态性等很好的特点，极大地推动了微分方程动力系统在许多学科研究领域中的广泛应用。例如，刘菊红（2017）利用微分方程动力系统的理论，对经典的 Lotka-Volterra 模型进行改进和实证分析，建立了内蒙古典型草原区羊草与大针茅种间竞争的数学模型，分别绘制了 2005 年和 2014 年两年度羊草、大针茅生物量变化的相位图，基于相位图分析法研究羊草与大针茅的种间竞争关系；唐旸（2004）借助于微分方程的稳定性理论，采用相位图分析法对动态优化问题进行求解分析，解决了优化问题求解困难、求出的解很少的缺陷，认为相位图分析方法可以对优化问题给出较为简捷、直观的定性分析。

5.2.3 时间序列图分析方法

事物随时间变化是最常见的现象。时间序列（Time series）是指将某种现象某一个统计指标在不同时间上的各个数值，按时间先后顺序排列而形成的序列。按时间顺序记录的一系列数据，即构成时间序列。时间序列数据是指在不同时间点上收集到的数据，这类数据反映了某一事物、现象等随时间的变化状态或程度。很多计量经济学的模型也用到了时间序列数据。

时间序列图（Time series graph），又称推移图，是描述时间序列数据与时间变量之间函数关系的图形，主要用于是观察函数变量是否随时间变化以及随时间变化的趋势等。时间序列图刻画了函数随时间变量 t 变化过程，能够既简单又清楚的描述微分动力系统的演化过程、混沌与同步等。

如果需要对研究对象的时间序列（图）进行深入研究和分析，就会用到时间序列分析（Time series analysis）方法。时间序列分析是根据系统观测得到的时间序列数据，通过曲线拟合和参数估计来建立数学模型的理论和方法。它一般采用曲线拟合和参数估计方法（如非线性最小二乘法）进行。时间序列分析就是充分利用这些时间序列数据，挖掘事物随时间变化规律的方法，是统计分析中最常用到的方法之一。时间序列分析常用在国民经济宏观控制、区域综合发展规划、企业经营管理、市场潜量预测、气象预报、水文预报、地震前兆预报、农作物病虫灾害预报、环境污染控制、生态平衡、天文学和海洋学等各个方面。

5.2.4 动力系统的稳定性分析

利用特征值法（见定义5.2）可判定动力系统（5-1）中各均衡点处的稳定性。首先，构造博弈模型动力系统的 Jacobian 矩阵

$$J = \frac{\partial(\dot{x_1}, \; \dot{x_2}, \; \dot{x_3})}{\partial(x_1, \; x_2, \; x_3)} =$$

$$\begin{bmatrix} (1-2x_1)[f_1(x_2+x_3-x_2x_3)-c_1] & x_1(1-x_1)(1-x_3)f_1 & x_1(1-x_1)(1-x_2)f_1 \\ -x_2(1-x_2)(f_1+f_2x_3) & (1-2x_2)[(1-x_1)(f_1+x_3f_2)-c_2] & x_2(1-x_1)(1-x_2)f_2 \\ -x_3(1-x_3)(1-x_2)(f_1+f_2) & -x_3(1-x_3)(1-x_1)(f_1+f_2) & (1-2x_3)[(1-x_1)(1-x_2)(f_1+f_2)-c_3] \end{bmatrix}$$

$$(5-6)$$

通过分别求解 Jacobian 矩阵 J 的特征值可以发现，每一个平衡点处的 Jacobian 矩阵的值 $J(X_i)$（$i=0, 1, \cdots, 9$）均不存在全部小于 0 的实数特征根或者全部实数部分小于 0 的共轭复根（表5-1[①]）。所以，X_i（$i=0, 1, \cdots, 8$）以及 X_9（x_1^*, x_2^*, x_3^*）（可能存在也可能不存在）都是动力系统（5-1）中的鞍点。因此，对于煤矿安全管理多方演化博弈模型而言，在一般惩罚激励策略条件下，演化稳定均衡策略是不存在的。

---

① 由于公式的形式较为复杂，在平衡点（x_1^*, x_2^*, x_3^*）的 Jacobian 矩阵 J 的值没有具体写出，但是容易看出其一阶顺序主子式为 0，二阶顺序主子式小于 0，可知该点处 J 的特征值不会全为负值。所以，在（x_1^*, x_2^*, x_3^*）点处不具有稳定性。

表 5-1 动力系统平衡点的稳定性分析

均衡点	$(0, 0, 0)$	$(0, 1, 0)$	$(0, 0, 1)$
J	$\begin{bmatrix} -c_1 & & \\ & f_1-c_2 & \\ & & f_1+f_2-c_3 \end{bmatrix}$	$\begin{bmatrix} f_1-c_1 & & \\ & c_2-f_1 & \\ & & -c_3 \end{bmatrix}$	$\begin{bmatrix} f_1-c_1 & & \\ & f_1-c_2 & \\ & & c_3-f_1-f_2 \end{bmatrix}$
均衡点	$(0, 1, 1)$	$(1, 0, 0)$	$(1, 1, 0)$
J	$\begin{bmatrix} f_1-c_1 & & \\ & c_2-f_1-f_2 & \\ & & c_3 \end{bmatrix}$	$\begin{bmatrix} c_1 & & \\ & c_2 & \\ & & -c_3 \end{bmatrix}$	$\begin{bmatrix} c_1-f_1 & & \\ & c_2 & \\ & & -c_3 \end{bmatrix}$
均衡点	$(1, 0, 1)$	$(1, 1, 1)$	(x_1^*, x_2^*, x_3^*)
J	$\begin{bmatrix} c_1-f_1 & & \\ & -c_2 & \\ & & -c_3 \end{bmatrix}$	$\begin{bmatrix} c_1-f_1 & & \\ & c_2 & \\ & & c_3 \end{bmatrix}$	$\begin{bmatrix} 0 & + & + \\ + & 0 & + \\ + & + & 0 \end{bmatrix}$

由于动力系统在平衡点处不具有全局（渐近）稳定性。所以，在本章以及后续章节的研究中，借助于微分方程的稳定性理论，多次利用相位图（Phase diagram analysis）以及时间序列图（Time series graph）等分析方法对博弈模型进行数值模拟求解与稳定性分析。

根据第 4.1 节基本假设部分对模型参数的约定，令博弈模型动力系统（5-1）中的参数取值[①]为

[①] 本章以及后续几章中建立的模型变量与参数较多，模型数值分析与模拟求解过程均需要设定参数取值和变量的初始值。需要指出的是，煤矿生产安全管理涉及处于不同地区，有着不同技术发展水平的各种类型的煤炭生产企业，而这些企业的生产过程以及安全管理状况本身就具有极大差异，对应的参数和变量初值也不会相同。所以，本文在对博弈模型进行模拟求解与数值仿真时，仅仅是对模型参数以及变量初始值的取值做出基本合理的设定，并没有进行详尽具体的统计推理。相关模型方法在特定煤炭生产企业或者特定矿区应用时，可以根据煤矿生产的实际情况，对模型参数和变量初始值进行具体的统计推断和估计。这样，模型分析会更具有针对性，相应研究结论也会更为精确。

$$c_1 = 0.5 ; \ c_2 = 0.2 ; \ c_3 = 0.3 ; \ f_1 = 1 ; \ f_2 = 1.2 \quad (5-7)$$

系统中变量的初始值为各个参与人策略选择概率（x_1^*，x_2^*，x_3^*）的初始值。在本部分中，为了体现动力系统稳定性对初值的依赖情况，分别设变量初值（x_1（0），x_2（0），x_3（0））为 P_0（0.5，0.3，0.2），P_1（0.7，0.5，0.3），P_2（0.3，0.5，0.7），P_3（0.5，0.7，0.9）对博弈模型进行模拟求解，并进行相互之间的对比。

利用 Matlab 软件中 Ode45 函数[①]可以求得动力系统（5-1）的数值解，也可以画出博弈模型动力系统的相位图（图5-1）以及各参与人策略选择概率的时间序列图（图5-2）。

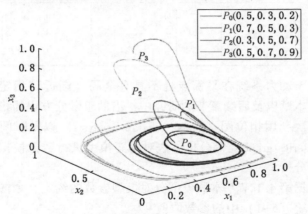

图5-1　三方博弈动力系统相位图

---

　　① 采用组合的4阶-5阶 Runge-Kutta 单步（变步长）算法，常用于非刚性（Nonstiff）常微分方程初值问题的求解。它用4阶方法提供候选解，5阶方法控制误差，其整体截断误差为（Δx）^{5}。ode45 函数是解决常微分方程初值问题数值解问题的首选，其他类似函数还有 ode23（2阶-3阶 Runge-Kutta 单步算法；求解非刚性问题）、ode113（线性多步法；速度快精度高；求解非刚性问题）、ode15s（多步法；Gear's 反向数值微分；精度一般；求解刚性问题）、ode23s（单步法；2阶 Rosebrock 算法；低精度；求解刚性问题）、ode23t（采用梯形算法；低精度；求解适度刚性问题）等。

如图 5-1 所示，动力系统从不同的初值出发，经过短时间的调整后即进入循环往复的不稳定状态。通过时间序列图（图 5-2）可以更清楚地看到参与人 1、2、3 的策略选择概率 x_1、x_2、x_3

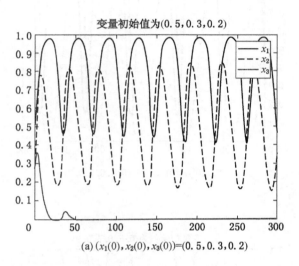

(a) $(x_1(0), x_2(0), x_3(0)) = (0.5, 0.3, 0.2)$

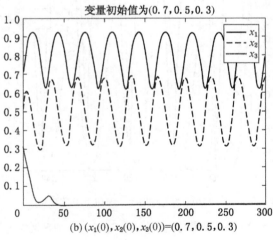

(b) $(x_1(0), x_2(0), x_3(0)) = (0.7, 0.5, 0.3)$

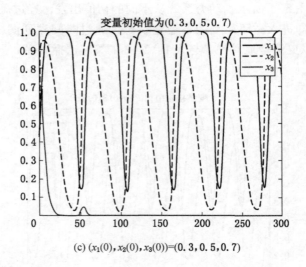

(c) $(x_1(0), x_2(0), x_3(0))=(0.3, 0.5, 0.7)$

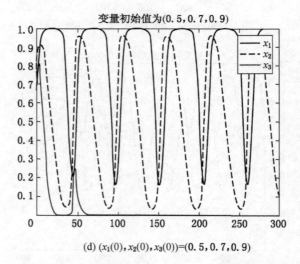

(d) $(x_1(0), x_2(0), x_3(0))=(0.5, 0.7, 0.9)$

图 5-2　参与人策略选择概率 x_1、x_2、x_3 的时间序列图

变化过程具有不稳定性。一般来讲，参与人1、2的策略选择概率 x_1、x_2 会进入周期性波动状态，而参与3（政府主管部门）的策略选择概率 x_3 会波动性递减最后逼近于0。

另外，不管是动力系统的相位图（图5-1）还是时间序列图（图5-2）都清楚表明，动力系统的状态变化依赖于变量初值。对比四幅时间序列图的参与人1（煤矿工人）选择安全生产的概率 x_1（其取值的大小是煤矿安全状况的直接表现），图5-2b中 x_1 的波动变化具有较大的下限值，这说明对应的煤矿安全生产状况更好。因此，在煤矿生产安全管理过程中，要结合煤矿生产的实际情况（生产设备的先进程度，煤炭工人的技术水平与安全素养等）并通过恰当的调查分析和专家论证等手段制定出合适的安全检查和监督策略，配合合适的安全监察策略能够更有力的保障煤矿的安全生产。在后续第5.4.1小节的部分内容中，本书将会对政府主管安全监察部门的监督策略进行约束，即讨论 x_3 的取值以抑制 x_1、x_2 进入周期性波动状态，进而控制煤矿安全生产状况。

考虑到煤矿安全博弈的长期性和重复性及利益群体行为的有限理性，依据演化博弈的结论对博弈行为采取科学合理的约束和激励措施似乎是更合理的煤矿生产安全管理行为。约束激励机制是以企业员工目标责任制为前提、以绩效考核制度为手段、以激励约束制度为核心的现代企业管理制度。通过制定约束和激励措施，可以对相关安全监督检查部门的监督策略进行强制规定，以确保生产安全管理效率的稳定和提高。

因此，本书接下来的两节内容主要是通过煤矿生产安全管理中的激励措施和约束措施，对参与人行为的演化稳定性进行研究。

5.3 激励措施对演化稳定策略的影响

为了保证煤矿生产中的安全性，参与人1选择博弈策略"安全生产"的概率应该单调递增并趋于1。根据公式（3-1），如果限定参与人 2 与参与人 3 选择检查监督策略的概率满足 $x_2 +$（$1-$ x_2）$x_3 > \dfrac{f_1}{c_1}$，那么参与人 1 的选择博弈策略"安全生产"的概率具有递增性（$\dot{x}_1 > 0$）。也就是说，一旦在煤矿生产安全管理过程中规定了煤矿安检队的检查行为或政府监察机构的监督行为的最少次数（不低于某个下限），就能保证煤矿生产队的选择"安全生产"策略的稳定增长性。

在模型当前的参数取值范围内，动力系统（5-1）的均衡点均不具有演化稳定性。只有改变模型中参数的取值，模型才可能存在演化稳定均衡点。考虑到本书模型研究目的是为了提高煤矿生产的安全性，故选择安全生产策略概率 $x_1 = 1$ 的均衡点处利用 Jacobian 矩阵来分析其稳定性（各平衡点处的 Jacobian 矩阵见表 5-2）。

表 5-2　激励措施下动力系统平衡点的稳定性分析

均衡点	(1, 0, 0)	(1, 1, 0)	(1, 0, 1)	(1, 0, 1)
J	$\begin{bmatrix} c_1 & & \\ & -c_2 & \\ & & -c_3 \end{bmatrix}$	$\begin{bmatrix} c_1-f_1 & & \\ & c_2 & \\ & & -c_3 \end{bmatrix}$	$\begin{bmatrix} c_1-f_1 & & \\ & -c_2 & \\ & & c_3 \end{bmatrix}$	$\begin{bmatrix} c_1-f_1 & & \\ & c_2 & \\ & & c_3 \end{bmatrix}$
参数取值变化	No	$c_2 < 0$	$c_3 < 0$	$c_2 < 0,\ c_3 < 0$
稳定性	鞍点	ESS	ESS	ESS

$c_2 < 0$，表示参与人 2 检查一次成本为负数，实际中可以认为煤矿安检组的工作成本由煤矿承担，而且每次检查还给予一定费用补贴，或者是煤矿给予的补贴超过安检成本；类似的，$c_3 <$ 0 情况可以认为参与人 3 享受的政府津贴（或者社会效益）超过了安全监督的成本。通过表 5-2 可以看出，如果 $c_2 < 0$，博弈策略（1，1，0）为三方博弈的 ESS，即生产队以概率 1 选择安全

108

生产策略，煤矿安检组以概率 1 选择检查策略，政府机构以概率 0 选择监督策略。

如果 $c_3 < 0$，博弈策略（1，0，1）为三方博弈的 ESS，即生产队以概率 1 选择安全生产策略，煤矿安检组以概率 0 选择检查策略，政府机构以概率 1 选择监督策略；同理，$c_2 < 0$ 与 $c_3 < 0$ 同时成立时，（1，1，1）为三方博弈的 ESS，此时生产队以概率 1 选择安全生产策略，煤矿安检组以概率 1 选择检查策略，政府机构以概率 1 选择监督策略。

虽然从理论上来讲，如果 $c_1 < 0$，博弈策略（1，0，0）也是三方博弈的 ESS。但生产力成本为负值的情况跟煤矿生产实际情况不相符，是极不合理的。

综上可知，如果煤矿有激励措施（$c_2 < 0$）或者政府部门有激励措施（$c_3 < 0$），均可以保证煤矿生产队以概率 1 选择安全生产策略，煤矿生产过程有稳定的安全保障。

5.4 约束措施对演化稳定策略的影响

结合煤矿生产的实际情况，主要考虑三种常见的约束措施对演化博弈策略选择的影响情况：一是煤矿安全生产相关的政府主管部门，可以采用约束的方式，如规定某段时期内监督行为的次数；二是对于煤炭生产企业也可以对煤矿安检组的策略选择进行约束，规定某段时期内安全检查次数不得少于某个下限；三是煤矿工人也可以对安全生产策略选择进行自我约束，以提高自身和煤炭生产企业的安全状况。

5.4.1 对煤矿安监部门监督策略进行约束

对政府煤矿安监部门监督策略进行约束，主要是对煤矿安监部门的监管次数进行强制规定，对于博弈模型来讲就是将煤矿安监部门选择监督策略的概率 x_3 取值为常数。此时，三方博弈模型化为两方博弈，也就是说安全监察博弈中只有两个参与人：生产者（参与人 1）与企业内部安全部门（参与人 2），其收益函数分别为：

$$\begin{cases} u_1 = -x_1 c_1 - (1 - x_1)[x_2 + (1 - x_2)x_3]f_1 \\ u_2 = -x_2 c_2 + (1 - x_1)[x_2 f_1 - (1 - x_2)x_3 f_2] \end{cases} \quad (5-8)$$

对应的博弈模型最优化一阶条件为

$$\begin{cases} [x_2 + (1 - x_2)x_3]f_1 = c_1 \\ (1 - x_1)(f_1 + x_3 f_2) = c_2 \end{cases} \quad (5-9)$$

解之可得

$$\begin{cases} x_1^* = 1 - \dfrac{c_2}{f_1 + x_3 f_2} \\ x_2^* = \dfrac{1 - x_3}{(1 - x_3)f_1} \end{cases} \quad (5-10)$$

由公式（5-10）易得如下两个结论：

引理 5.3 x_1^* 与 x_3，f_1，f_2 正相关，x_3，f_1，f_2 取值变大，x_1^* 随之增大。

引理 5.4 x_2^* 与 x_3，f_1 负相关。这是因为

$$\frac{\partial x_2^*}{\partial x_3} = \frac{c_1 - f_1}{f_1(1 - x_3)^2} < 0 \quad (5-11)$$

$$\frac{\partial x_2^*}{\partial f_1} = \frac{c_1}{f_1^2(1 - x_3)} < 0 \quad (5-12)$$

也就是说，当 x_3、f_1 取值变大时，x_2^* 随之变小。

博弈模型对应的复制子动态方程（Replicator Dynamics）：

$$\begin{cases} \dot{x_1} = x_1(1 - x_1)[(x_2 + (1 - x_2)x_3)f_1 - c_1] \\ \dot{x_2} = x_2(1 - x_2)[(1 - x_1)(f_1 + x_3 f_2) - c_2] \end{cases} \quad (5-13)$$

博弈模型动力系统的 Jacobian 矩阵

$$J = \frac{\partial(\dot{x_1}, \dot{x_2})}{\partial(x_1, x_2)} = \begin{bmatrix} (1 - 2x_1)[f_1(x_2 + x_3 - x_2 x_3) - c_1] \\ x_1(1 - x_1)(1 - x_3)f_1 \\ -x_2(1 - x_2)(f_1 + f_2 x_3) \\ (1 - 2x_2)[(1 - x_1)(f_1 + x_3 f_2) - c_2] \end{bmatrix}$$

$$(5-14)$$

其中，$b_1 = f_1 + x_3 f_2 - c_2$；$b_2 = x_1^* (1 - x_1^*)(1 - x_3) f_1$；$b_3 = x_2^* (1 - x_2^*)(f_1 + x_3 f_2)$，显然，$b_2 > 0$，$b_3 > 0$；另外，由于 $f_1 \gg c_3$，故知 $b_1 > 0$。

表 5-3 描述了当 x_3 设定为常数时，博弈模型动力系统的四个纯策略平衡点 $(0, 0)$，$(1, 0)$，$(0, 1)$，$(1, 1)$ 以及一个可能存在的混合策略均衡点 (x_1^*, x_2^*) 的稳定性。其中，只有 $(1, 0)$ 在 $x_3 > c_1/f_1$（即 $c_1 < x_3 f_1$）条件下为稳定结点[①]。

表 5-3 动力系统 (5-13) 平衡点的稳定性分析

均衡点	$(0, 0)$	$(1, 0)$	$(0, 1)$	$(1, 1)$	(x_1^*, x_2^*)
均衡点	$(0, 0)$	$(1, 0)$	$(0, 1)$	$(1, 1)$	(x_1^*, x_2^*)
J_{12}	$\begin{bmatrix} x_3 f_1 - c_1 & \\ & b_1 \end{bmatrix}$	$\begin{bmatrix} c_1 - x_3 f_1 & \\ & c_2 \end{bmatrix}$	$\begin{bmatrix} f_1 - c_1 & \\ & -b_1 \end{bmatrix}$	$\begin{bmatrix} c_1 - f_1 & \\ & c_2 \end{bmatrix}$	$\begin{bmatrix} 0 & b_2 \\ -b_3 & 0 \end{bmatrix}$
稳定性	鞍点	稳定结点 （当 $c_1 < x_3 f_1$） 鞍点 （当 $c_1 > x_3 f_1$）	鞍点	鞍点	中心（不稳定）

通过对动力系统进行相位图分析（如图 5-3、图 5-4、图 5-5 所示），点 $P(x^*, y^*)$ 为动力系统的中心，不是博弈模型的演化稳定点。

令 $\dot{x}_1 = 0$，得 $x_1 = 0$，$x_1 = 1$ 两个稳定状态。而进化稳定策略要求

$$\frac{d\dot{x}_1}{dx_1} = (1 - 2x_1)[f_1(x_2 + x_3 - x_2 x_3) - c_1] < 0 \quad (5-15)$$

---

① $x_3 > c_1/f_1$，说明对政府主管部门的监督力度强制性要求很高，参与人 3 选择安全监察策略比例很高。此时，生产工人会倾向于选择安全生产策略（$x_1 \to 1$），而企业内部的安全检查措施没有必要执行（$x_2 \to 0$），其他各个均衡点均不具有演化稳定性。

故当 $x_2 < x_2^* = \dfrac{c_1-x_3}{(1-x_3)\,f_1}$ 时，$x_1 = 0$ 是进化稳定策略；故当 $x_2 > x_2^*$ 时，$x_1 = 1$ 是进化稳定策略。这说明，当监督者选择监督策略的概率超过 x_2^* 时，生产者倾向于选择安全生产策略；反之，生产者倾向于选择不安全生产策略。也就是说，当煤矿安监部门

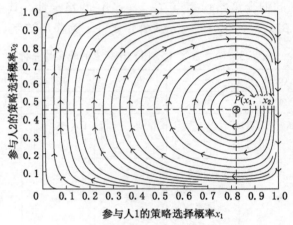

(a) $x_3 = 0.1$, $(x_1^*, x_2^*) = (0.8214, 0.4444)$

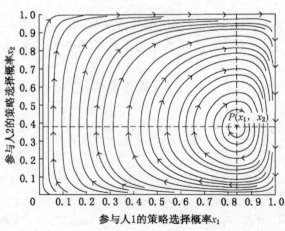

(b) $x_3 = 0.2$, $(x_1^*, x_2^*) = (0.8387, 0.375)$

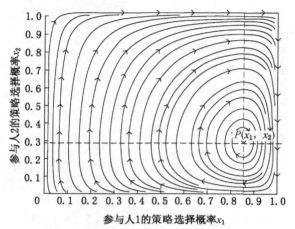

(c) x_3=0.3, (x_1^*, x_2^*)=(0.8529, 0.2857)

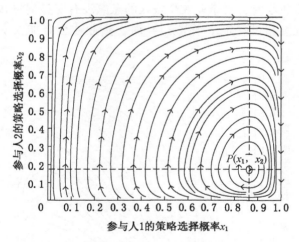

(d) x_3=0.4, (x_1^*, x_2^*)=(0.8649, 0.1667)

图 5-3　动力系统相位图（$x_3 > c_1/f_1$）

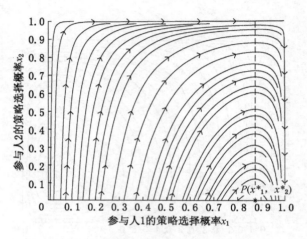

图 5-4　动力系统相位图 $[x_3 = 0.5\ (=c_1/f_1),$
$(x_1^*,\ x_2^*) = (0.875,\ 0)]$

监察力度较小时，对企业安全投入的意愿没有明显促进作用；只有监管强度超过一定水平（x_2^*）时，企业才会有加大安全投入的愿望。

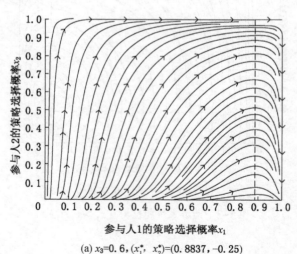

参与人1的策略选择概率x_1

(a) $x_3 = 0.6$, $(x_1^*,\ x_2^*) = (0.8837, -0.25)$

114

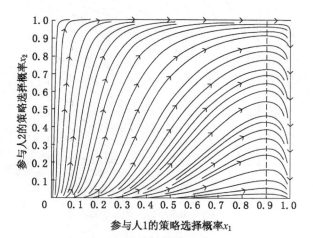

(b) x_3=0.7, $(x_1^*,\ x_2^*)$=(0.8913, −0.67)

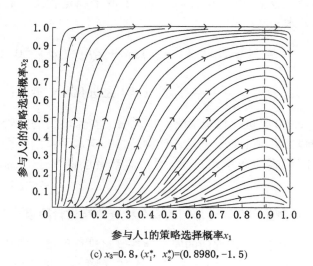

(c) x_3=0.8, $(x_1^*,\ x_2^*)$=(0.8980, −1.5)

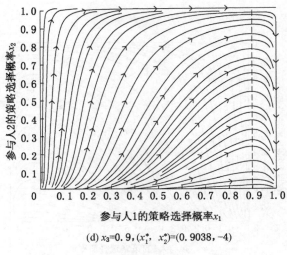

(d) $x_3 = 0.9$, $(x_1^*, x_2^*) = (0.9038, -4)$

图 5-5   动力系统相位图 $(x_3 > c_1/f_1)$

同理，令 $\dot{x}_2 = 0$，得 $x_2 = 0$，$x_2 = 1$ 两个稳定状态。而进化稳定策略要求

$$\frac{\mathrm{d}\dot{x}_2}{\mathrm{d}x_2} = (1 - 2x_2)\left[(1 - x_1)(f_1 + x_3 f_2) - c_2\right] < 0 \quad (5\text{-}16)$$

故当 $x_1 < x_1^* = \dfrac{c_1 - x_3}{(1 - x_3)\, f_1}$ 时，$x_2 = 1$ 是进化稳定策略；当 $x_1 > x_1^*$ 时，$x_2 = 0$ 是进化稳定策略。这说明，安监部门的监管力度会持续加强，直到企业安全投入比例超过一定水平；当生产者选择安全生产策略的概率超过 x_1^* 时，监察者会倾向于选择不监察策略。

5.4.2   对企业安全管理部门的安全检查策略进行约束

对企业安全管理部门的安全检查策略进行约束，主要是对企业内部安全管理部门的安全检查次数（频率）进行强制规定，对于博弈模型来讲就是将参与人 2 选择安全检查策略的概率 x_2

取值为常数。此时，三方博弈模型化为两方博弈，安全监察博弈中只有两个参与人：生产者（参与人1）与政府煤矿安全监察部门（参与人3），其收益函数分别为：

$$\begin{cases} u_1 = -x_1 c_1 - (1 - x_1)[x_2 + (1 - x_2)x_3]f_1 \\ u_3 = -x_3 c_3 + (1 - x_1)(1 - x_2)x_3(f_1 + f_2) \end{cases} \tag{5-17}$$

对应的博弈模型最优化一阶条件为

$$\begin{cases} [x_2 + (1 - x_2)x_3]f_1 = c_1 \\ (1 - x_1)(1 - x_2)(f_1 + f_2) = c_3 \end{cases} \tag{5-18}$$

解之可得

$$\begin{cases} x_1^* = 1 - \dfrac{c_3}{(1 - x_2)(f_1 + f_2)} \tag{5-19} \end{cases}$$

$$\begin{cases} x_3^* = \dfrac{c_1 - x_2 f_1}{(1 - x_2)f_1} \tag{5-20} \end{cases}$$

引理 5.5 由公式（5-19）可知，x_1^* 与 x_2，f_1，f_2 正相关，x_2，f_1，f_2 取值变大，x_1^* 随之增大。

引理 5.6 公式（5-20）中 x_3^* 分别关于变量 x_2，f_1 求导数，

$$\frac{\partial x_3^*}{\partial x_2} = \frac{c_1 - f_1}{f_1(1 - x_2)^2} < 0 \tag{5-21}$$

$$\frac{\partial x_3^*}{\partial f_1} = -\frac{c_1}{f_1^2(1 - x_2)} < 0 \tag{5-22}$$

可知 x_3^* 与 x_2，f_1 负相关，也就是当 x_2，f_1 取值变大时，x_3^* 随之变小。

博弈模型对应的复制子动态方程（Replicator Dynamics）：

$$\begin{cases} \dot{x_1} = x_1(1 - x_1)[(x_2 + (1 - x_2)x_3)f_1 - c_1] \\ \dot{x_3} = x_3(1 - x_3)[(1 - x_1)(1 - x_2)(f_1 + f_2) - c_3] \end{cases} \tag{5-23}$$

博弈模型动力系统的 Jacobian 矩阵

$$J_{13} = \frac{\partial(\dot{x}_1, \ \dot{x}_3)}{\partial(x_1, \ x_3)} = \begin{bmatrix} (1 - 2x_1)[f_1(x_2 + x_3 - x_2x_3) - c_1] \\ x_1(1 - x_1)(1 - x_3)f_1 \\ -x_3(1 - x_3)(1 - x_2)(f_1 + f_2) \\ (1 - 2x_3)[(1 - x_1)(1 - x_2)(f_1 + f_2) - c_3] \end{bmatrix}$$

$$(5\text{-}24)$$

表5-4　动力系统 (5-23) 平衡点的稳定性分析

均衡点	(0, 0)	(1, 0)	(0, 1)	(1, 1)	$(x_1^*, \ x_3^*)$
J_{13}	$\begin{bmatrix} x_2f_1 - c_1 & \\ & a_1 \end{bmatrix}$	$\begin{bmatrix} c_1 - x_2f_1 & \\ & -c_3 \end{bmatrix}$	$\begin{bmatrix} f_1 - c_1 & \\ & -a_1 \end{bmatrix}$	$\begin{bmatrix} c_1 - f_1 & \\ & c_3 \end{bmatrix}$	$\begin{bmatrix} 0 & a_2 \\ -a_3 & 0 \end{bmatrix}$
稳定性	鞍点	稳定结点 （当 $c_1 < x_2f_1$）； 鞍点 （当 $c_1 > x_2f_1$）	鞍点	鞍点	中心 （不稳定）

注：$a_1 = (1 - x_2)(f_1 + f_2) - c_3$；$a_2 = x_1^*(1 - x_1^*)(1 - x_2)f_1$；$a_3 = x_3^*(1 - x_3^*)(1 - x_2)(f_1 + f_2)$。显然，$a_2 > 0$，$a_3 > 0$；由于 $f_1 \gg c_3$，$f_2 \gg c_3$，除非 x_2 取值逼近于1，都有 $a_1 > 0$。

如表5-4所示，当 x_2 设定为常数时，博弈模型动力系统的4个纯策略平衡点 (0, 0)，(1, 0)，(0, 1)，(1, 1) 以及一个可能存在的混合策略均衡点 $(x_1^*, \ x_3^*)$ 的稳定性。其中，只有 (1, 0) 在 $x_2 > c_1/f_1$（即 $c_1 > x_2f_1$）条件下为稳定结点[①]。此时，生产工人必然采取安全生产策略（$x_1 \rightarrow 1$），而政府煤矿安监部门的安全监察没有必要重复进行（$x_3 \rightarrow 0$），其他各个均衡点均不具有演化稳定性。

假定博弈模型中参数取值为 $c_1 = 0.5$，$c_2 = 0.2$，$c_3 = 0.3$，$f_1 = 1$，$f_2 = 1.2$，利用相位图分析方法对动力系统进行稳定性分析。当 $x_2 < c_1/f_1$（即 $c_1 > x_2f_1$）时，生产工人的劳动成本 c_1 比较大，企业内部安监部门（参与人2）监管强度 x_2 以及煤矿工人（参

---

① $x_2 > c_1/f_1$，说明对企业安全检查策略要求较高，企业内部监督力度很高。

与人 1）选择不安全策略是可能受到的惩罚力度 f_1 相对较低，如图 5-6 所示，混合策略均衡点 $P(x_1^*, x_3^*)$ 为动力系统的中心，但不是动力系统的演化稳定点。

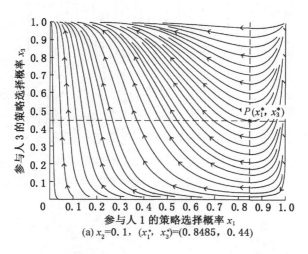

(a) $x_2=0.1$, $(x_1^*, x_3^*)=(0.8485, 0.44)$

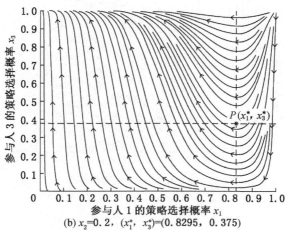

(b) $x_2=0.2$, $(x_1^*, x_3^*)=(0.8295, 0.375)$

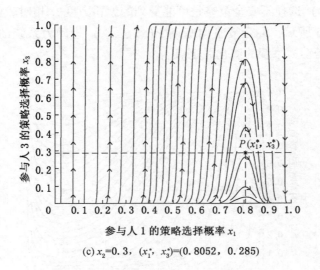

(c) $x_2=0.3$, $(x_1^*, x_3^*)=(0.8052, 0.285)$

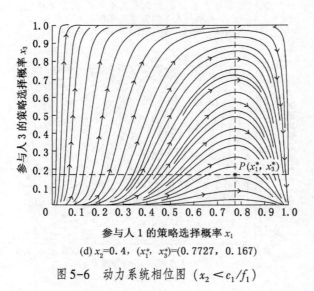

(d) $x_2=0.4$, $(x_1^*, x_3^*)=(0.7727, 0.167)$

图 5-6 动力系统相位图 $(x_2 < c_1/f_1)$

（1）当 $x_2 = c_1/f_1$（即 $c_1 = x_2 f_1$）时，生产工人的劳动成本 c_1、企业内部安监部门（参考人2）监管强度 x_2 和生产工人（参与

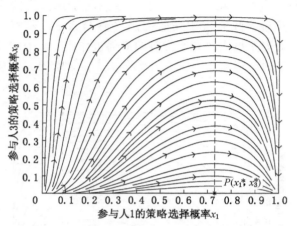

图 5-7　动力系统相位图 $[x_2 = 0.5\ (=c_1/f_1)$,

$(x_1^*,\ x_3^*) = (0.7273,\ 0)]$

人 1）选择不安全策略是可能受到的惩罚力度 f_1 乘积取值相对，如图 5-7 所示，混合策略均衡点 $P(x_1^*,\ x_3^*)$ 为动力系统的中心，不是动力系统的演化稳定点。

（2）当 $x_2 > c_1/f_1$（即 $c_1 < x_2 f_1$）时，生产工人的劳动成本 c_1 比较小，企业内部安监部门（参与人 2）监管强度 x_2 以及煤矿工人（参与人 1）选择不安全策略是可能受到的惩罚力度 f_1 相对较高，如图 5-8 所示，博弈模型不存在混合策略均衡点 $P(x_1^*,\ x_3^*)$，动力系统也不存在演化稳定点。

令 $\dot{x}_1 = 0$，得 $x_1 = 0$，$x_1 = 1$ 两个稳定状态。而进化稳定策略要求

$$\frac{d\dot{x}_1}{dx_1} = (1 - 2x_1)[f_1(x_2 + x_3 - x_2 x_3) - c_1] < 0 \quad (5-25)$$

故当 $x_3 < x_3^* = \dfrac{c_1 - x_{2f_1}}{(1 - x_2)\,f_1}$ 时，$x_1 = 0$ 是进化稳定策略；故当 $x_3 > x_3^*$ 时，$x_1 = 1$ 是进化稳定策略。这说明，当政府煤矿安监部门（参与人 3）选择监督策略的概率超过 x_3^* 时，生产者倾向

于选择安全生产策略；反之，生产者倾向于选择不安全生产策略。也就是说，政府煤矿安监部门（参与人3）监察力度较小时，对企业安全投入的意愿没有明显促进作用；只有监管强度超过一定水平时，煤炭生产工人（参与人1）才会有加大安全投入的愿望。

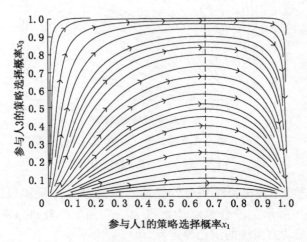

(a) $x_2=0.6$, $(x_1^*, x_3^*)=(0.6591, -0.25)$

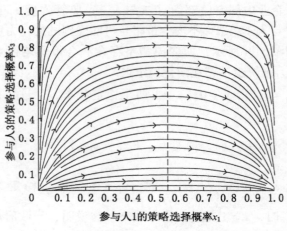

(b) $x_2=0.7$, $(x_1^*, x_3^*)=(0.5455, -0.67)$

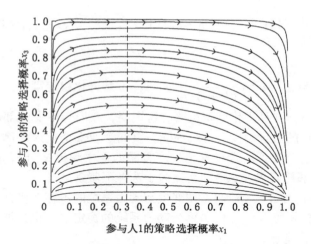

(c) $x_2=0.8$, $(x_1^*, x_3^*)=(0.3182, -1.5)$

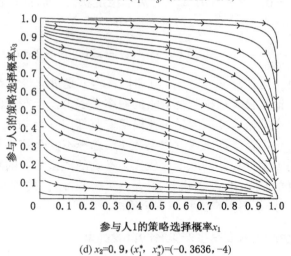

(d) $x_2=0.9$, $(x_1^*, x_3^*)=(-0.3636, -4)$

图5-8 动力系统相位图 $(x_2 > c_1/f_1)$

同理，令 $\dot{x}_3=0$，得 $x_3=0$，$x_3=1$ 两个稳定状态。而进化稳定策略要求

$$\frac{d\dot{x_3}}{dx_3} = (1 - 2x_3)\left[(1 - x_1)(1 - x_2)(f_1 + f_2) - c_3\right] < 0$$

$$(5-26)$$

故当 $x_1 < x_1^* = \frac{c_1 - x_3 f_1}{(1 - x_3) f_1}$ 时，$x_3 = 1$ 是进化稳定策略；当 $x_1 >$ x_1^* 时，$x_3 = 0$ 是进化稳定策略。这说明，政府煤矿安监部门（参与人3）的监管力度会持续加强，直到企业安全投入比例超过一定水平；当生产者选择安全生产策略的概率超过 x_1^* 时，政府煤矿安监部门（参与人3）会倾向于选择不监察策略。

（3）当 $c_1 < x_2 f_1$ 时，博弈模型动力系统的不存在内部均衡点（如图5-8所示），（1，0）为动力系统的稳定点，也是博弈模型的演化稳定点。

令 $\dot{x_1} = 0$，得 $x_1 = 0$，$x_1 = 1$ 两个稳定状态。而进化稳定策略要求

$$\frac{d\dot{x_1}}{dx_1} = (1 - 2x_1)\left[f_1(x_2 + x_3 - x_2 x_3) - c_1\right] < 0 \quad (5-27)$$

此时，对任意 $x_3 \in [0, 1]$ 时，$x_1 = 1$ 是进化稳定策略。这说明，不论监督者选择监督策略的概率是多少，生产者倾向于选择安全生产策略. 其原因是企业内部安监部门（参与人2）监管强度（x_2）以及生产工人（参与人1）选择不安全策略是可能受到的惩罚力度（x_2）的取值比较大，准确的说是二者的乘积相对于生产者的成本投入来说比较大（$x_2 f_1 > c_1$），使得生产工人（参与人1）不再愿意选择不安全策略。

5.4.3 生产工人安全生产策略的自我约束

当前，我国的许多大型煤矿也在积极开展煤炭智能化开采，现代化采煤设备的控制需要具备较高技术水平和操作能力的生产工人。随着煤炭生产企业人才引进和生产技术的不断提升，采煤设备的自动化越来越高，生产工人素质也在逐步提高。有些矿井甚至出现了全部都由本科、研究生组建的井下生产班组。

生产工人对自身的安全意识和安全生产素质都提出了更高的要求，具体就表现在生产工人对安全生产能做到自我约束、严格要求、对工作细致认真，有危险隐患能够及时地发现和排除。同前述对煤矿安监部门和企业安全检查部门的监督（检查）策略进行约束类似，在本部分内容中将生产工人选择安全生产策略的概率 x_1 取值为常数。

此时，三方博弈模型也化为两方博弈，即安全监察博弈中只有两个参与人：企业内部安全部门（参与人 2）与政府煤矿安全监察部门（参与人 3），其收益函数分别为：

$$\begin{cases} u_2 = -x_2 c_2 + (1 - x_1)[x_2 f_1 - (1 - x_2)x_3 f_2] \\ u_3 = -x_3 c_3 + (1 - x_1)(1 - x_2)x_3(f_1 + f_2) \end{cases} \quad (5-28)$$

对应的博弈模型最优化一阶条件为

$$\begin{cases} (1 - x_1)(f_1 + x_3 f_2) = c_2 \\ (1 - x_1)(1 - x_2)(f_1 + f_2) = c_3 \end{cases} \quad (5-29)$$

解之可得

$$\begin{cases} x_2^* = 1 - \dfrac{c_3}{(1 - x_1)(f_1 + f_2)} & (5-30) \\[3mm] x_3^* = \dfrac{c_2 - (1 - x_1)f_1}{(1 - x_1)f_2} & (5-31) \end{cases}$$

引理 5.7 根据式（5-30），由于

$$\frac{dx_2^*}{dx_1} = -\frac{c_3}{(1 - x_1)^2(f_1 + f_2)} < 0 \quad (5-32)$$

$$\frac{dx_2^*}{df_1} = \frac{dx_2^*}{df_2} = \frac{1}{(1 - x_1)(f_1 + f_2)^2} > 0 \quad (5-33)$$

所以，x_2^* 与 x_1 负相关，而与 f_1，f_2 正相关。也就是说，当 x_1 取值变大时，x_2^* 随之变小；当 f_1 或者 f_1 取值变大时，x_2^* 随之变大。

引理 5.8 根据式（5-31），由于

$$\frac{dx_3^*}{dx_1} = -\frac{c_2}{(1 - x_1)^2 f_2} > 0 \quad (5-34)$$

$$\frac{dx_3^*}{df_1} = -\frac{1}{f_2} < 0 \quad (5-35)$$

$$\frac{dx_3^*}{df_2} = -\frac{(1-x_1)f_1 - c_2}{(1-x_1)^2 f_2} < 0 \quad (5-36)$$

所以，x_3^* 与 x_1 正相关，而与 f_1 负相关。也就是说，当 x_1 取值变大时，x_3^* 随之增大；当 f_1 取值变大时，x_3^* 随之变小。由式（5-36）可以看到，x_3^* 与 f_2 的相关性并不确定，当 $(1-x_1)f_1 - c_2 > 0$ 时，二者正相关；$(1-x_1)f_1 - c_2 < 0$ 时，二者负相关；特别是当 $(1-x_1)f_1 - c_2 = 0$ 时，x_3^* 取值与 f_2 无关（恒为常数0）。

博弈模型对应的复制子动态方程（Replicator Dynamics）：

$$\begin{cases} \dot{x_2} = x_2(1-x_2)[(1-x_1)(f_1 + x_3 f_2) - c_2] \\ \dot{x_3} = x_3(1-x_3)[(1-x_1)(1-x_2)(f_1 + f_2) - c_3] \end{cases} \quad (5-37)$$

博弈模型动力系统的 Jacobian 矩阵

$$J_{23} = \frac{\partial(\dot{x_1}, \dot{x_3})}{\partial(x_1, x_3)} = \begin{bmatrix} (1-2x_2)[(1-x_1)(f_1 + x_3 f_2) - c_2] \\ (1-x_1)x_2(1-x_2)f_2 \\ -x_3(1-x_3)(1-x_2)(f_1 + f_2) \\ (1-2x_3)[(1-x_1)(1-x_2)(f_1 + f_2) - c_3] \end{bmatrix}$$

$$(5-38)$$

表5-5 描述了当 x_1 设定为常数时，博弈模型动力系统的四个纯策略平衡点 $(0, 0)$，$(1, 0)$，$(0, 1)$，$(1, 1)$ 以及一个可能存在的混合策略均衡点 $P(x_2^*, x_3^*)$ 的稳定性。其中，只有 $(1, 0)$ 在 $x_1 < 1 - c_2/f_1$（即 $c_2 < (1-x_1)f_1$）条件下为稳定结点[1]（图5-9），其他情况下各个均衡点均不具有演化稳定性。通过对动力系统进行相位图分析（图5-10，图5-11a，图5-

---

[1] $x_1 < 1 - c_2/f_1$，表示生产工人的自我约束能力不足。在这种情况下，企业安全检查组必定采取严厉的监督检查策略，煤矿安监部门的监督没有必要进行。所以，动力系统以 $(1, 0)$ 为演化稳定点。这种情况如果有条件（对生产工人的安全知识培训提高工人的安全生产技能水平，引入高素质生产工人等），是一定要避免发生的。

11b)，点 P（x_2^*，x_3^*）为动力系统的中心，但不是博弈模型的演化稳定点。

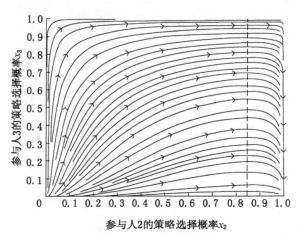

(a) $x_1=0.1$，$(x_2^*, x_3^*)=(0.8485, -0.78)$

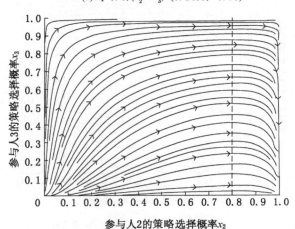

(b) $x_1=0.3$，$(x_2^*, x_3^*)=(0.8052, -0.71)$

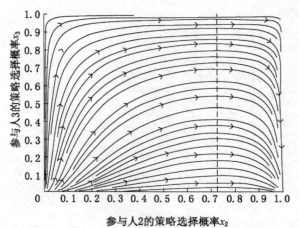

(c) $x_1=0.5, (x_2^*, x_3^*)=(0.7273, -0.60)$

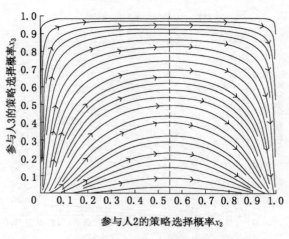

(d) $x_1=0.7, (x_2^*, x_3^*)=(0.5455, -0.33)$

图 5-9 动力系统相位图 $(x_1 < 1-c_2/f_1)$

表5-5 动力系统 (5-37) 平衡点的稳定性分析

均衡点	(0, 0)	(1, 0)	(0, 1)	(1, 1)	(x_1^*, x_2^*)
J_{23}	$\begin{bmatrix} (1-x_1)\,f_1-c_2 & \\ & h_1 \end{bmatrix}$	$\begin{bmatrix} c_2-(1-x_1)\,f_1 & \\ & -c_3 \end{bmatrix}$	$\begin{bmatrix} h_2 & \\ & -h_1 \end{bmatrix}$	$\begin{bmatrix} -h_2 & \\ & c_3 \end{bmatrix}$	$\begin{bmatrix} 0 & h_3 \\ -h_4 & 0 \end{bmatrix}$
稳定性	鞍点	稳定结点 （当 $c_2 < (1-x_1)\,f_1$）; 鞍点 （当 $c_2 > (1-x_1)\,f_1$）	鞍点	鞍点	中心 （不稳定）

注： $h_1=(1-x_1)\,(f_1+f_2)-c_3$, $h_2=(1-x_1)\,(f_1+f_2)-c_2$, 由于 $f_1 \gg c_3$, $f_2 \gg c_3$, 在 x_1 不是非常接近于 1 时, 总有 $h_1>0$, $h_2>0$。$h_3=(1-x_1)\,x_2^*\,(1-x_2^*)\,f_2$; $h_4=x_2^*\,(1-x_2^*)\,(f_1+x_3f_2)$. 显然有 $h_{31}>0$, $h_4>0$。

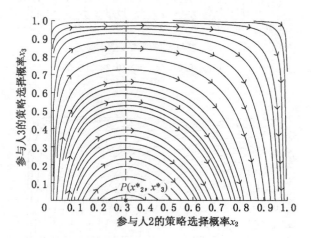

图 5-10 动力系统相位图 $[x_1=0.8\ (=1-c_2/f_1)$,

$(x_2^*, x_3^*)=(0.3182, 0)]$

令 $\dot{x}_2=0$, 得 $x_2=0$, $x_2=1$ 两个稳定状态。而进化稳定策略要求

$$\frac{d\dot{x}_2}{dx_2}=(1-2x_2)\big[(1-x_1)(f_1+x_3f_2)-c_2\big]<0 \quad (5-39)$$

故当 $x_3 < x_3^* = \dfrac{c_2 - (1-x_1) f_1}{(1-x_1) f_2}$ ［参见式（5-31）］时，$x_2 = 0$

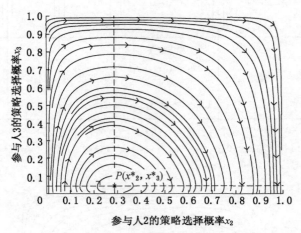

(a) $x_1 = 0.81$, $(x_2^*, x_3^*) = (0.2823, 0.05)$

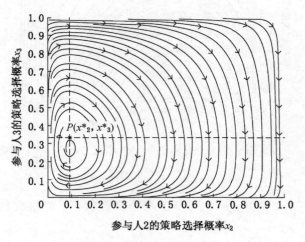

(b) $x_1 = 0.85$, $(x_2^*, x_3^*) = (0.0909, 0.33)$

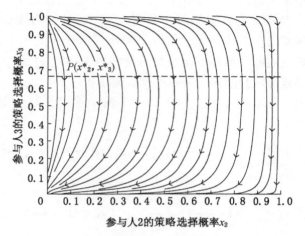

(c) $x_1 = 0.88$, $(x_2^*, \ x_3^*) = (-0.1364, 0.67)$

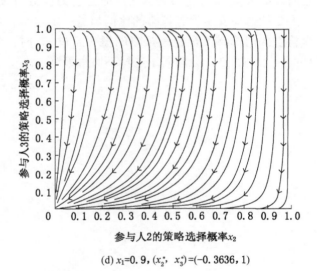

(d) $x_1 = 0.9$, $(x_2^*, \ x_3^*) = (-0.3636, 1)$

图 5-11　动力系统相位图 $(x_1 > 1 - c_2/f_1)$

是进化稳定策略；当 $x_3 > x_3^*$ 时，$x_2 = 1$ 是进化稳定策略。这说明，企业内部安全检查部门（参与人 2）的检查力度会持续加强，直到参与人 3 选择安全监管策略比例低于一定水平 x_3^*；当政府煤矿安监部门选择安全监管策略的概率超过 x_3^* 时，企业内部安全检查部门会倾向于选择不监察策略。

同理，令 $\dot{x}_3 = 0$，得 $x_3 = 0$，$x_3 = 1$ 两个稳定状态。而进化稳定策略要求

$$\frac{d\dot{x}_3}{dx_3} = (1 - 2x_3)\big[(1 - x_1)(1 - x_2)(f_1 + f_2) - c_3\big] < 0$$

$$(5-40)$$

故当 $x_2 < x_2^* = 1 - \dfrac{c_3}{(1-x_1)\ (f_1+f_2)}$ ［参见式（5-30）］时，$x_3 = 1$ 是进化稳定策略；当 $x_2 > x_2^*$ 时，$x_3 = 0$ 是进化稳定策略。这说明，政府煤矿安监部门（参与人 3）的监管力度会持续加强，直到参与人 2 的选择安全检查策略的比例超过一定水平；当企业内部安全检查部门选择安全检查策略的概率超过 x_2^* 时，政府主管监察部门（参与人 3）会倾向于选择不监察策略。

6　煤矿生产安全管理中分数阶多方博弈模型

　　分数阶微积分理论是整数阶微积分理论的补充和拓展，具有时间记忆性和长程空间相关性等整数阶微积分理论不具备的特性。考虑到煤矿生产安全管理中利益相关者关系的复杂性和行为的动态性，利用分数阶微积分建立多方监管博弈模型是非常有理论意义和应用价值的。相信随着分数微积分被逐步引入到安全管理与博弈论等学科中，将大大推动相关领域的研究和应用进展。

　　本章的主要内容包括：①利用分数阶微积分理论建立煤矿生产安全管理问题相关的分数阶多方博弈模型，并对其进行模拟求解和分析；②将分数阶模型的研究结论与整数阶模型进行对比和分析可以验证其科学性和合理性；③利用分数阶模型相关结论进行安全监管博弈行为的约束和控制。

6.1　预备知识

　　人们对微积分理论由整数阶向分数阶拓展的研究由来已久。早在微积分创立的年代，德国数学家莱布尼茨（Leibnitz）与法国数学家洛必达（L' Hospital）在 1695 年的通信中就探讨了非整数阶微积分的含义问题。然而，由于长期以来缺少经典的物理学理论、力学等学科领域的背景支持，分数阶微积分（Fractional Calculus）并没有得到非数学专业背景研究人员的关注。直到 20 世纪 70 年代后，人们逐渐发现了自然界中的不规则性，分形几何、幂律现象以及记忆过程等相关理论研究的不断进展，分数阶微积分在非线性科学的许多领域得到了越来越高度的重视。

　　近年来分数阶微积分理论在物理力学、自动控制、信号处理、天气预报、生物医学等自然科学研究领域中的成功应用，人们逐渐发现分数阶微积分能够刻画自然科学以及工程应用领域一些非经典现象。分数阶微积分作为一种数学工具，可以用来更加准确地描述问题的本质，以弥补整数阶微积分的不足。由于计算机技术的飞速发展和数值模拟方法的不断创新，分数阶微积分已经进入了一个崭新的发展阶段。目前分数阶微积分比较热门研究领域包括：分数阶数值算法，分数阶同步等问题。分数微积分的应用领域越来越广泛。

在引入分数阶微积分定义之前，首先介绍常用到的几个特殊函数：Γ 函数 $\Gamma(z)$、Beta 函数 $B(p, q)$ 和单参数 Mittag-Leffler 函数 $E_{\alpha}(z)$、双参数 Mittag-Leffler 函数 $E_{\alpha, \beta}(z)$。

（1）Γ 函数。

$$\Gamma(z) = \int_0^{\infty} e^{-x} x^{z-1} dx, \ Re(z) > 0 \qquad (6-1)$$

Γ 函数 $\Gamma(z)$ 是分数阶微积分的基本函数，其定义中的积分形式也常被称为第二类 Euler 积分。

（2）Beta 函数。

$$B(p, q) = \int_0^1 x^{p-1} x^{q-1} dx, \ Re(p) > 0, \ Re(q) > 0 \qquad (6-2)$$

Beta 函数 $B(p, q)$ 也是分数阶微积分理论与求解过程中最常用到的函数之一，其定义中的积分形式也常被称为第一类 Euler 积分。

Beta 函数与 Γ 函数之间的转化公式为：

$$B(p, q) = \frac{\Gamma(p)\Gamma(q)}{\Gamma(p+p)} \qquad (6-3)$$

（3）Mittag-Leffler 函数。

Mittag-Leffler 函数是数学分析中指数函数 e^z 的拓展，有单参数、双参数两种形式。两种形式的 Mittag-Leffler 函数在分数阶微积分的研究中都有重要的作用。

其中，单参数 Mittag-Leffler 函数定义为

$$E_\alpha(z) = \sum_{k=0}^{\infty} \frac{z^k}{\Gamma(k\alpha + 1)} \quad (\alpha > 0) \tag{6-4}$$

双参数 Mittag-Leffler 函数定义为

$$E_{\alpha,\beta}(z) = \sum_{k=0}^{\infty} \frac{z^k}{\Gamma(k\alpha + \beta)} \quad (\alpha > 0, \beta > 0) \tag{6-5}$$

显然，单参数 Mittag-Leffler 函数可以看作是双参数 Mittag-Leffler 函数的特殊形式关系为：

$$E_{\alpha,1}(z) = E_\alpha(z) \tag{6-6}$$

Mittag-Leffler 函数与指数函数 e^z 的关系为

$$E_{1,1}(z) = E_1(z) = e^z \tag{6-7}$$

考虑如下的广义（单参数）Mittag-Leffler 函数

$$E_\alpha(-t^\alpha) = \sum_{k=0}^{\infty} \frac{(-t)^{\alpha k}}{\Gamma(k\alpha + 1)} \tag{6-8}$$

单参数 Mittag-Leffler 函数及其广义形式都被认为是非局部函数，是如下分数阶微分方程的解。

$$\frac{d^\alpha u}{dt^\alpha} = au(t) \quad (0 < \alpha < 1) \tag{6-9}$$

6.2 分数阶微积分的基本定义

不同应用背景下或者从不同的应用角度去分析问题，可以得到不同的分数阶微积分定义。迄今为止，分数阶微积分仍然没有统一的时域定义表达式。其中有三种经典的分数阶微积分定义，包括 Grümwald-Letnikov、Riemann-Liouville 和 Capotu 定义等。随着分数阶微积分理论体系的不断完善和发展，又有不同形式的分数阶导数算子被定义出来，如新 Capotu 定义（Caputo-Fabrizio 定义）、Atangana – Baleanu 分数阶导数定义等。

（1）分数阶微积分的 Grümwald-Letnikov 定义。

Grümwald-Letnikov 的分数阶导数定义（G-L 定义）是采取由整数阶到非整数阶导数扩展的方式得出的，它是分别由 Grünwald（1867）和 Letnikov（1868）提出来的。设 $\mu > 0$，n 是

大于 μ 的最小整数 ($n-1 \leqslant \mu < n$)，如果函数 $u(t)$ 在区间 (a, b) 上存在直到 $n+1$ 阶的连续导数，则函数 $u(t)$ 阶数为 μ 的分数阶导数定义为

$$
{}_a^{GL}D_t^{\mu}u(t) = \begin{cases} \dfrac{d^n}{dt^n}u(t) & (\mu = n \in N) \\ \lim\limits_{h=\frac{t-a}{n} \to 0^+} \dfrac{1}{h^{\mu}} \sum\limits_{k=0}^{n}(-1)^k \binom{\mu}{k}u(t-kh) & (0 \leqslant n-1 < \mu < n) \end{cases}
$$

$$(6-10)$$

其中，$\dbinom{\mu}{k}$ 表示组合数，即

$$
\binom{\mu}{k} = \frac{\mu\,(\mu-1)\,(\mu-2)\,\cdots\,(\mu-k+1)}{k!}
$$

分数阶微积分的 Grümwald–Letnikov 定义是差分格式形式，在数学理论分析中应用不多，但是在微分方程理论与数值计算中应用比较多。

（2）Riemann–Liouville 分数阶导数定义。

左 R–L 分数阶导数定义：设函数 $u(t)$ 在区间 (a, b) 上有定义，$\mu > 0$，n 是大于 μ 的最小整数 ($n-1 \leqslant \mu < n$)，则

$$
{}_a^{RL}D_t^{\mu}u(t) = \begin{cases} \dfrac{d^{n-1}}{dt^{n-1}}u(t) & (\mu = n-1 \in N) \\ \dfrac{1}{\Gamma(n-\mu)} \dfrac{d^n}{dt^n} \displaystyle\int_a^t \dfrac{u(\tau)}{(t-\tau)^{\mu-n+1}}d\tau & (0 \leqslant n-1 < \mu < n) \end{cases}
$$

$$(6-11)$$

右 R–L 分数阶导数定义：$u(t)$ 在区间 (a, b) 上有定义，$\mu > 0$，n 是大于 μ 的最小整数 ($n-1 \leqslant \mu < n$)，

$$
{}_t^{RL}D_b^{\mu}u(t) = \begin{cases} (-1)^{n-1}\dfrac{d^{n-1}}{dt^{n-1}}u(t) & (\mu = n-1) \\ \dfrac{(-1)^{n-1}}{\Gamma(n-\mu)} \dfrac{d^n}{dt^n} \displaystyle\int_t^b (t-\tau)^{\mu-n+1}u(\tau)d\tau & (0 \leqslant n-1 < \mu < n) \end{cases}
$$

$$(6-12)$$

分数阶微积分的 Riemann-Liouville 分数阶导数定义（R-L 定义）应用了微分-积分形式，避免了极限求解，在数学理论分析方面具有重要作用，也可以应用于计算一些较为简单函数的解析解。R-L 定义从分数阶微积分要满足的基本性质入手，对 Grümwald-Letnikov 定义做出改进和拓广，简化了分数阶微积分的计算过程，理论性质更为完备，应用也更为广泛。

（3）Caputo 分数阶导数定义。

1967 年，Caputo 在其一篇文献中提出了一个具有弱奇异性的分数阶导数的定义：设函数 $u(t)$ 在区间 (a, b) 上有定义，$\mu > 0$，n 是大于 μ 的最小整数 $(n-1 < \mu \leqslant n)$，则左 Caputo 型分数阶导数定义为

$$
{}^{C}_{a}D^{\mu}_{t}u(t) = \begin{cases} \dfrac{d^{n}}{dt^{n}}u(t) & (\mu = n) \\ \dfrac{1}{\Gamma(n-\mu)}\dfrac{d^{n}}{dt^{n}}\displaystyle\int_{a}^{t}(t-\tau)^{\mu-n+1}u^{(n)}(\tau)d\tau \\ \qquad (0 \leqslant n-1 < \mu < n) \end{cases} \tag{6-13}
$$

右 Caputo 型分数阶导数定义为

$$
{}^{C}_{t}D^{\mu}_{b}u(t) = \begin{cases} \dfrac{d^{n}}{dt^{n}}u(t) & (\mu = n) \\ \dfrac{(-1)^{n}}{\Gamma(n-\mu)}\dfrac{d^{n}}{dt^{n}}\displaystyle\int_{t}^{b}(t-\tau)^{\mu-n+1}u^{(n)}(\tau)d\tau \\ \qquad (0 \leqslant n-1 < \mu < n) \end{cases} \tag{6-14}
$$

相比于 R-L 定义，采用 Caputo 定义求解微分方程时，不需要定义的分数阶的初始条件。Caputo 定义适用于分数阶微分方程初边值问题的分析，因此非常适合在自然科学和工程领域中应用。

三种经典分数阶微积分定义之间存在着紧密的联系，在一定条件下可以相互转换。例如，如果分数阶微积分的阶数 μ 满足 $n-1 < \mu < n$，当函数 $u(t)$ 的 $m+1$ 阶导数连续并且满足 $m = [n-1]$，分数阶微积分 G-L 的定义与分数阶微积分 R-L 的定义、

Caputo 定义是等价的。

R-L 分数阶导数定义和 Caputo 分数阶导数定义的区别在于积分和求导的顺序不同，R-L 分数阶导数是先积分再求导，而 Caputo 分数阶导数是先求导后积分，从数学的角度上来说，Caputo 分数阶导数定义的要求更高一些，它要求函数具有 n 阶导数。Caputo 方法的主要优势是建模应用以及积分变换过程中，可以以整数阶微分方程相同的形式给出分数阶微分方程的初始条件，所以在解决实际问题时候具有较强的应用性。当分数阶微积分的阶数 μ 为正整数和负实数时，分数阶微积分的 Caputo 定义和分数阶微积分的 R-L 定义满足以下关系：

$$_a^{RL}D_t^\mu u(t) = _a^C D_t^\mu u(t) + \sum_{k=0}^{n-1} \frac{u^{(k)}(a)(t-a)^{k-\mu}}{\Gamma(k-\mu+1)} \qquad (6-15)$$

（4）新 Caputo 分数阶导数定义（Caputo-Fabrizio 定义）。

在 2015 年，Caputo 和 Fabrizio 又提出了 Caputo 分数阶导数的新定义：

$$_a^{CF}D_t^\alpha u(t) = \begin{cases} u(t) \quad (\alpha=0) \\ \dfrac{M(\alpha)}{1-\alpha}\int_a^t u'(\tau)\exp\left(-\alpha\frac{t-\tau}{1-\alpha}\right)d\tau \quad (0<\alpha\leqslant 1) \end{cases}$$
$$(6-16)$$

其中，$u(t) \in H^1(a, b)$，$a<b$，$\alpha=n-\mu \in [0, 1]$，$M(\alpha)$ 是一个归一化函数，即 $M(0)=M(1)=1$。如果 $u(t) \notin H^1(a, b)$，Caputo-Fabrizio 定义公式为：

$$_a^{CF}D_t^\alpha u(t) = \begin{cases} u(t) \quad (\alpha=0) \\ \dfrac{\alpha M(\alpha)}{1-\alpha}\int_a^t [u(t)-u(\tau)]\exp\left(-\alpha\frac{t-\tau}{1-\alpha}\right)d\tau \\ \qquad (0<\alpha\leqslant 1) \end{cases}$$
$$(6-17)$$

（5）Atangana - Baleanu 分数阶导数定义。

利用广义 Mittag Leffler 函数，Atangana 和 Bbaleanu （2016）提出了一种有非局部非奇异核（non-local and no-singular kernel）

的分数阶导数新定义。设 $u(t) \in H^1(a, b)$，$a < b$，$\alpha = n-\mu \in$ [0, 1]，借助 Caputo-Fabrizio 定义，Abdon Atangana 和 Dumitru Bbaleanu 提出了 Atangana-Bbaleanu-Caputo（ABC）分数阶导数定义：

$$_a^{ABC}D_t^\alpha u(t) = \begin{cases} u(t) & \alpha = 0 \\ \dfrac{B(\alpha)}{B(1-\alpha)}\displaystyle\int_a^t u'(\tau)E_\alpha\left(-\alpha\dfrac{(t-\tau)^\alpha}{1-\alpha}\right)d\tau & (0 < \alpha \le 1) \end{cases}$$

(6-18)

其中，$B(\alpha)$ 具有 Caputo-Fabrizio 定义中 $M(\alpha)$［参见式（6-16）］同样的性质。上面的 ABC 定义在解决一些实际问题的时候会有广泛的应用价值，在借助拉普拉斯变换求解一些初始条件下的物理问题也有很大的优势。然而，当 $\alpha = 0$ 时，除了原函数趋于 0 的情形，ABC 定义的导函数并不能回推到原来的函数。为了避免这个问题，Abdon Atangana 和 Dumitru Bbaleanu 又提出了如下的分数阶导数定义（ABR 定义）：

$$_a^{ABR}D_t^\alpha u(t) = \begin{cases} u(t) & \alpha = 0 \\ \dfrac{B(\alpha)}{B(1-\alpha)}\dfrac{d}{dt}\displaystyle\int_a^t u(\tau)E_\alpha\left(-\alpha\dfrac{(t-\tau)^\alpha}{1-\alpha}\right)d\tau & (0 < \alpha \le 1) \end{cases}$$

(6-19)

式（6-18）与式（6-19）表述的分数阶微积分 ABC 与 ABR 定义中，都是使用了广义 Mittag-Leffler 函数（6-8）构造的非局部核（Non-local kernel）函数，可以更好地应用在高维特征空间中描述和解决不同尺度下复杂的分类或回归问题。

6.3　ABM 预估-修正算法

当前，有许多成熟的分数阶微分方程数值解法。其中，Adams-Bashforth-Moulton（ABM）预估-修正方法是由 Diethelm 等学者改进的一种线性多步法，具有精度高、稳定性强等优点，应用很广泛。

对于带初始条件的分数阶微分方程：

$$\begin{cases} {}_{t_0}D_t^\mu u(t) = f(t,\ u(t)) \\ u_{t_0}^{(i)} = u_0^{(i)} \quad (i = 1,\ 2,\ \cdots,\ n-1) \end{cases} \qquad (6\text{-}20)$$

相当于下面的 Volterra 积分方程：

$$u(t) = \sum_{i=0}^{n-1} u_0^{(i)} \frac{t^i}{i!} + \frac{1}{\Gamma(\mu)} \int_{t_0}^{t} (t-\tau)^{n-\mu-1} f(\tau,\ u(\tau)) d\tau$$

$$(6\text{-}21)$$

固定步长 $(t_n = nh,\ n = 1,\ 2,\ 3,\ \cdots,\ N)$，$h = T/N$，并假设方程（6-20）存在唯一确定的解 $u(t)$，$t \in [0,\ T]$，则方程（6-20）就可以近似为如下差分方程：

$$u(t_{n+1}) = \sum_{i=0}^{n-1} u_0^{(i)} \frac{t_{n+1}^i}{i!} +$$

$$\frac{h^\mu}{\Gamma(\mu+2)} [u(t_{n+1}),\ u^p(t_{n+1})] + \sum_{j=0}^{n} a_{j,\ n+1} f(t_j,\ u(t_j))$$

$$(6\text{-}22)$$

其中，

$$a_{j,\ n+1} = \begin{cases} n^{\mu+1} - (n-\mu)(n+1)^\mu \quad (j=0) \\ (n-j+2)^{\mu+1} + (n-j)^{\mu+1} - 2(n-j+1)^{\mu+1} \\ (1 \leqslant j \leqslant n1,\ j = n+1) \end{cases}$$

式（6-21）和式（6-22）构成了 Adams-Moulton（AM）修正算法。接下来，预测值 $u^p(t_{n+1})$ 由 Adams-Bashforth（AB）算法得出：

$$u^p(t_{n+1}) = \sum_{i=0}^{n-1} u_0^{(i)} \frac{t_{n+1}^i}{i!} + \sum_{j=0}^{n} b_{j,\ n+1} f(t_j,\ u(t_j)) \qquad (6\text{-}23)$$

其中，

$$b_{j,\ n+1} = \frac{h^\mu}{\mu} [(n+1-j)^\mu - (n-j)^\mu] \qquad (6\text{-}24)$$

综上，式（6-21）式（6-24）构成了分数阶微积分数值计算的 Adams-Bashforth-Moulton（ABM）预估-修正算法。该数值算法的误差预计为 $O(h^\nu)$，其中，

$$\nu = \min \{2, 1 + \mu\} \qquad (6-25)$$

总之，ABM 预估-修正算法是由相互独立的两部分构成，AB 预估算法和 AM 修正算法。根据需要可以将 AB 预估算法和 AM 修正算法任意组合，即可得到改进的 ABM 预估-修正算法。

6.4 分数阶多方博弈模型及其模拟求解

安全监管模型是安全管理中的一种常见模型。它从不同的层面描述参与群体之间的平衡和冲突，是一个涉及多种因素的极其复杂的非线性系统，有些特征与演变过程不能用整数阶微积分精确地描述。因此，本书试图建立煤矿生产安全管理中多利益博弈的分数阶模型，来研究多个利益相关者的行为动态。

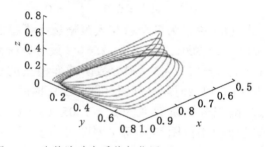

图 6-1 分数阶动力系统相位图 ($\mu_1 = \mu_2 = \mu_3 = 0.95$)

6.4.1 分数阶多方博弈模型

利用 Caputo 型分数阶导数分别代替式（5-1）中整数阶导数项 $\dot{x}_i$，同时为了书写方便将 (x_1, x_2, x_3) 记为 (x, y, z)，就得到如下分数阶博弈模型：

$$\begin{cases} {}_aD_t^{\mu_1}x = x(1-x)[(y+(1-y)z)f_1 - c_1] \\ {}_aD_t^{\mu_2}y = y(1-y)[(1-x)(f_1 + zf_2) - c_2] \\ {}_aD_t^{\mu_3}z = z(1-z)[(1-x)(1-y)(f_1 + f_2) - c_3] \end{cases}$$

$$(6-26)$$

接下来，本书借助 ABM 预估-修正算法求解带有如下初始条件的分数阶微分方程：

$$(x_0^{(i)}, \; y_0^{(i)}, \; z_0^{(i)}) \quad i = 1, \; 2, \; \cdots, \; n - 1 \qquad (6-27)$$

为了更简单直观地分析分数阶博弈模型解的性质，本书利用相位图分析（Phase diagram analysis, PDA）以及时间序列图（Time series graph, TSG）等方法对分数阶动力系统进行直观描述和分析。

6.4.2 分数阶博弈模型的模拟仿真

假设博弈模型式（6-26）、式（6-27）中的参数和变量的初始值取值为

$$c_1 = 0.8, \; c_2 = 0.2, \; c_3 = 0.25, \; f_1 = f_2 = 2 \qquad (6-28)$$
$$x_0^{(1)} = 0.7, \; y_0^{(1)} = 0.5, \; z_0^{(1)} = 0.6 \qquad (6-29)$$

其中，式（6-29）为各个参与人策略选择概率的初始值。

令 $h = 0.01$，$T = 300s$，$N = T/n$，$t_0 = 0$，设分数阶微积分的阶数为：$\mu_k = 0.95$，$k = 1, \; 2, \; 3$，则分数阶博弈模型的数值解可由相位图（图6-1）以及时间序列图（图6-2）描述。

当分数阶微积分的阶数变为 $\mu_k = 1.05$（$k = 1, \; 2, \; 3$）时，博弈模型有类似的相位图和时间序列图（参见图6-3和图6-4）。

对比两组图形（图6-1、图6-2和图6-3、图6-4），可以发现分数阶博弈模型具有相似的动态特征跟一阶博弈模型的基本相同（图5-1、图5-2）。动态博弈系统的轨迹是围绕中心的闭合曲线。这说明生产工人的生产安全投入、企业检查力度和政府监督力度相互影响，形成相互作用的演化过程。一般来说，在这个博弈模型中没有进化稳定策略（Evolutionary stable strategy, ESS），而动态系统不具有自控性。因此，有必要对企业检查人员和煤矿安监部门的安全管理策略进行强制约束以保证生产工人的安全投入水平。

在一定条件下［参见式（6-28）、式（6-29）］，生产工人

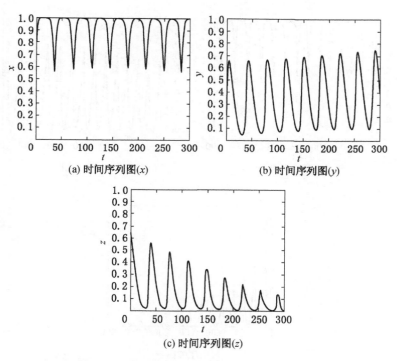

图 6-2　参与人策略选择概率（x, y, z）的

时间序列图（$\mu_1 = \mu_2 = \mu_3 = 0.95$）

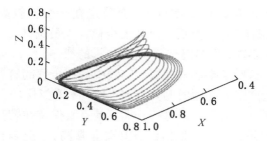

图 6-3　分数阶动力系统相位图（$\mu_1 = \mu_2 = \mu_3 = 1.05$）

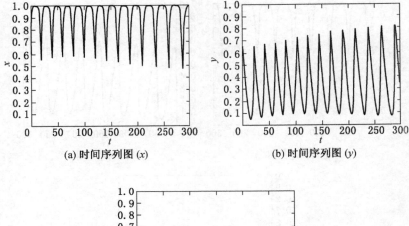

(a) 时间序列图 (x) (b) 时间序列图 (y)

(c) 时间序列图 (z)

图 6-4　参与人策略选择概率 x, y, z 的
时间序列图（$\mu_1 = \mu_2 = \mu_3 = 1.05$）

选择安全生产策略的概率（x）会稳定在一个比较高的水平上
（图 6-2 和图 6-4）。然而，企业安全检查人员选择安全检查的概
率（y）和煤矿安监部门选择安全监督的概率（z）却带有周期
性的波动。这些结果能够在煤矿实践中得到合理的解释。值得注
意的是，生产工人必须时刻安全地工作（x 取值比较大才合理），
检查或监督可以周期性地进行，而不是一直保持在较高强度的水
平上（也就是说，y, z 取值没有必要非常高）。应当指出，企业
检查人员和煤矿安监部门的安全管理中检查或监督强度必须保持
一定程度上（y, z 取值不能非常小），否则，生产工人的策略选

择可能会发生急剧的变化。

6.4.3 有强制性规定的情形

接下来，本书考虑三种特殊情况，即对企业安全人员检查的概率（y）以及或煤矿安监部门选择安全监督的概率（z）做出强制性规定，或两者都进行强制性规定。在煤矿生产安全管理实践中，这三种特殊情形是很有实际意义的。在工人、企业与政府三者形成的博弈子系统中，企业和政府都属于生产工人的监管者，是煤矿生产安全管理制度和监管措施的制定者和执行者，安全管理水平相对较高。而且，企业和政府这两个利益相关者群体数量相对较少，更有利于政策性强制规定的实施。

（1）对企业安检组的检查行为做出强制性规定（$y=y_0$）。

令式（6-26）、式（6-27）中有关于参与人2博弈行为策略选择概率 $y=y_0$，这说明企业内部对安全检查人员的检查行为做出强制性规定（例如，规定某段时间内检查的次数等）。图6-5为参与人1和3的策略选择概率（x 与 z）在参与人2策略选择概率 y 时分别取值为0.1、0.3和0.4的条件下的相位图。从这三个图形中可以看出，随着 y 取值增大，x 的取值会无限逼近于1。特别是当 y 取值超过某个限值时，x 会以较快的速度趋于1（图6-5c）。

（2）对政府主管部门的安全监察行为有强制性规定（$z=z_0$）

令式（6-26）、式（6-27）中煤矿安监部门的安全监察行为策略选择的概率 $z=z_0$，这意味着要对煤矿安监部门的监督行为做出强制性规定。图6-6为参与人1和2的策略选择概率（x 和 y）在参与人3策略选择概率 z 分别取值为0.1和0.3的条件下的相位图。此部分数值模拟仿真也可以得出上一部分类似结论，随着 z 取值增大，x 的取值会无限逼近于1. 特别是当 z 取值超过某个限值时，x 会以较快的速度趋于1（图6-6c）。

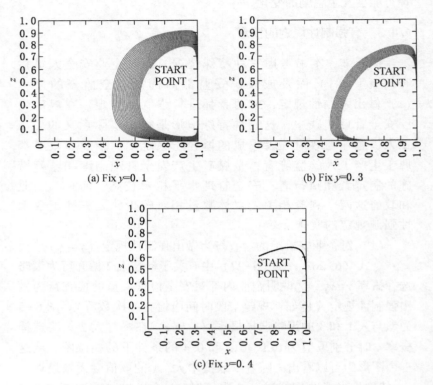

(a) Fix y=0. 1   (b) Fix y=0. 3

(c) Fix y=0. 4

图 6-5 对企业的检查行为做出强制性规定情形

($y=y_0$；$\mu_1=\mu_2=\mu_3=1.05$)

（3）同时对企业与煤矿安监部门的安全监察行为有强制性规定（$y=y_0$，$z=z_0$）

同时对企业安全检查部门和煤矿安监部门的检查监督行为做出强制性规定，也就是令 $y=y_0$，$z=z_0$。图 6-7 为 z 固定取值 0.2，y 分别取值 0.2、0.25 和 0.3 的条件下 x（参与人 I 的策略选择）的相位图。从中可以看出，一旦 y 和 z 取值超过某些固定值，x 就会收敛到 1。

对照图 6-5、图 6-6 与图 6-7 这三组图形，可以得出结论：

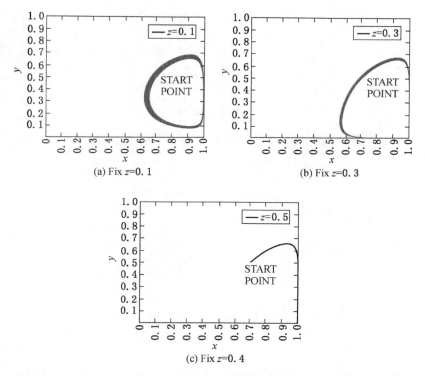

图 6-6　对企业的检查行为做出强制性规定情形

$$z = z_0 \ (\mu_1 = \mu_2 = \mu_3 = 1.05)$$

如果同时对企业与煤矿安监部门的安全检查和监督监察行为有强制性要求，并且规定二者选择安全监察行为的频率（或者比例）不低于特定值（图 6-7b），则煤矿生产安全管理中矿工的不安全行为就会得到较好的控制，煤矿安全监管的效果会更为显著（图 6-7c）。

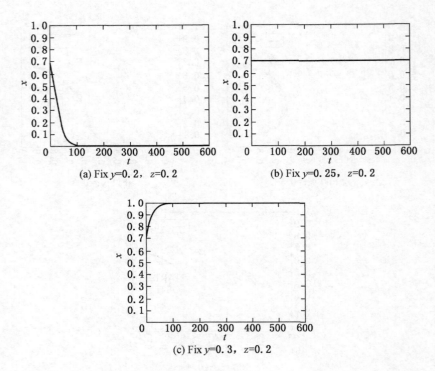

(a) Fix y=0.2, z=0.2

(b) Fix y=0.25, z=0.2

(c) Fix y=0.3, z=0.2

图 6-7 对参与人 2 和 3 同时强制性规定 $y=y_0$，$z=z_0$（$\mu_1=\mu_2=\mu_3=1.05$）

7 煤矿生产安全管理中多总体 演化博弈模型

煤矿安全生产涉及多个利益主体，例如煤炭生产企业、工人、管理者、政府及社区等。这些利益主体相互关联、相互制约，针对生产利益和安全责任进行激烈的博弈。如果考虑参与人有不同的历史经验、生活在不同的社会阶层，或者在不同的产业环境中经营，那么同一博弈可能有不同的分析。现有研究多是把利益相关群体看作具有相同类型而且具有相同行为选择策略的个体构成，这与安全管理相关的实际情形存在差距。例如，国家煤矿安全政策面对的是全国各地的煤炭生产企业，在生产技术、安全管理水平等方面往往有很大差异，有的煤炭生产企业安全管理水平高，还有一些煤炭生产企业安全管理并没有做到实处；地方政府煤矿安监部门针对的是辖区内多个矿区，矿区中安全生产监督开展情况各有不同；煤炭生产企业内部安全检查小组面对的矿工群体也要区别对待，有熟练操作的老员工也有新进职工，技能型工人与高学历人才情况差别也很大。对于这些情况，每个参与人总体应该分成几个子总体进行研究，以更加准确的描述不同类型的利益主体之间的学习模仿过程。

因此，在本章中将处于同一个博弈方位置的利益相关者群体，看作是由同类异质①的多个子总体构成的。也可以这样理解，假设开始的时候处在相同位置上某个博弈方总体中，所有个

---

① 此处借用了经济学中产品异质性这一概念。参与人的同类异质性指的是，虽然利益相关者群体中的所有个体处于相同的博弈方位置上（同类），但是有着不同的行为选择策略（异质）。

体都被规定采取相同的博弈纯策略或者是混合策略（同类同质）。但是随着时间的推移，总体中有一定比例个体的博弈策略选择出现了变异，这一部分个体就会形成与其他个体有着不同策略选择的子总体（异质）。每个人在某一段时间内会坚持某一个策略选择，但其有时会对所做行为选择进行反思，随时可能改变自己的行为策略。

7.1 多总体复制子动态

随着博弈过程的长期进行，同一个博弈方总体中可能就存在多个策略选择不同的子总体。例如，在生产过程中生产工人是被要求必须按照政府和煤炭行业协会规定的安全行为准则进行生产操作，但是如果没有相应的监管措施，可能就会有某个工人选择违规操作。如果选择违规操作的工人没有得到相应的处罚，可能就会有使得另外一些工人进行学习或者模仿，进而这一部分工人就会形成一个策略选择为"违章生产"的博弈方子总体。

假设博弈参与人总体中的每个主体都可以长期存在并保持无限互动。那么，安全管理过程中的约束与激励机制，必定使得相关博弈方（生产工人等）在不满意驱动下针对成功主体进行模仿和学习。在煤矿生产安全管理系统中有关多个利益相关者长期参与的重复博弈过程中，演化效应是客观的和可传递的。多总体演化模型可用于研究特定的约束激励措施下，各利益相关者之间相互模仿和学习的演化过程。

设 x_{ih} 表示第 i 博弈方子总体中选择 h 策略者在总体中的数量（或比例），r_{ih} 表示第 i 总体中选择 h 策略者的平均反思率，$p_{ik}^h(x)$ 表示 i 总体中选择 k 策略者进行反思的主体选择策略 h 的概率，S_i 为 i 总体的策略空间。假设存在连续统①的主体，假设存在连续统的主体，并利用泊松流来逼近每个子总体中策略

---

① 在点集拓扑学中，一个连续统是指任何非空的紧致连通度量空间；在数学序理论中，连续统的定义为与区间（0，1）一一对应的集合。

转换的总量随机过程。

泊松流也称为 Possion 过程，是具有独立增量性和平稳增量性的计数过程[①]，其定义如下：

定义 7.1 计数过程 $N(t)$，$t \geq 0$ 被称为一个参数为 λ 的 Possion 过程，如果其满足下列三个条件：

① $N(0) = 0$；

② $\forall t_i > 0$，$i = 1$，2，$\cdots$，n，设 $t_1 < t_2 < \cdots < t_n$，随机变量 $N(t_2 - t_1)$，$N(t_3 - t_2)$，$\cdots$，$N(t_n - t_{n-1})$ 是相互独立的（独立增量性）；

③ 任意长度为 t 的时间内，事件 A 发生的次数服从参数为 λt 的 Possion 分布，即对于 $\forall s > 0$，都有

$$P\{N(s + t) - N(s) = k\} = \frac{(\lambda t)^k}{k!} e^{k\lambda} \quad (k \in N) \quad (7\text{-}1)$$

在此情形下，在子总体 i 中选择策略 h 流入是 $\sum\limits_{k \neq h} x_{ih} r_{ik}(x) p_{ik}^h(x)$，流出是 $\sum\limits_{h \neq k} x_{ih} r_{ih}(x) p_{ih}^k(x)$，演化选择动态考察博弈方子总体 i 的增长率 $\dot{x}_{ih}$，可导出如下微分方程：

$$\dot{x}_{ih} = \left[\sum_{k \in S_i} r_{ik}(x) p_{ik}^h(x) - r_{ih}(x) \right] x_{ih} \quad (7\text{-}2)$$

假定 $p_{ik}^h(x)$ 与第 i 博弈方总体中策略 h 的流行度 x_{ih} 正相关，策略 h 的收益越高，该比例越大，以 $\omega_{ik}(u_i(e_i^h, x_{-i}), x)$ 来表示第 i 总体中 k 策略反思者赋予 h 策略的权重，并假设 $\omega_{ih}(z, x)$ 为对第一变量 z 严格递增的 Lipschitz 函数，则有

$$p_{ik}^h(x) = \frac{\omega_{ik}[u_i(e_i^h, x_{-i}), x] x_{ik}}{\sum\limits_{l \in S_i} \omega_{ih}[u_i(e_i^l, x_{-i}), x] x_{il}} \quad (7\text{-}3)$$

代入微分方程（7-2），可得多总体的复制子动态模型：

---

① 如果事件 A 在 t 时刻发生的次数 $N(t)$ 满足两个特点：（1）$N(t) \in N^*$；（2）$s < t$ 时，$N(s) \leq N(t)$，则称随机过程 $N(t)$，$t \geq 0$ 为一个计数过程。

$$\dot{x}_{ih} = r_{ih}(x) \left\{ \sum_{k \in S_i} \frac{r_{ik}(x)}{r_{ih(x)}} \frac{\omega_{ik}[u_i(e_i^h, x_{-i}), x]x_{ik}}{\sum_{l \in S_i} \omega_{ih}[u_i(e_i^l, x_{-i}), x]x_{il}} - 1 \right\} x_{ih}$$

$$(7-4)$$

为了保证上述模型在状态空间上有一个定义好的动态，假设 $r_{ih(x)}: X_i \rightarrow R_+$，其开的定义域 X_i 包含 Δ_i（子总体 i 的混合策略单纯形）。

那么，根据柯西－利普希茨定理（Cauchy－Lipschitz Theorem），动态模型（7-4）通过任何初始状态都有唯一解，并且解轨道是连续的，从不离开 Δ_i。

Cauchy-Lipschitz 定理，也称 Picard Lindelof 定理或 Picard 存在性定理，是常微分方程中常用的解的存在性定理，主要的作用是确定局部解以至最大解的存在性和唯一性。定理最初是由法国著名数学家柯西（Augustin Louis Cauchy）于 1820 年发表，但直到 1968 年才由德国数学家利普希茨（Rudolf Lipschitz）给出定理确定的形式。下面给出常微分方程局部解的存在唯一性形式的 Cauchy-Lipschitz 定理：

定理 7.1 设 E 为一个 Banach 空间（完备的有限维赋范向量空间），U 为 E 中开集，$I = [0, T] \subset \mathbb{R}$，函数 $f[x(t), t]$ 在 $U \times I$ 上有定义：

$$f: U \times I \rightarrow E$$
$$(x, t) \rightarrow f(x, t) \qquad (7-5)$$

考虑有初始条件的一阶非线性微分方程：

$$\begin{cases} \dot{x} = f(x, t) \\ x(t_0) = x_0 \quad (t_0 \in I, x_0 \in U) \end{cases} \qquad (7-6)$$

如果函数 $f[x(t), t]$ 满足 Lipschitz 连续条件，也就是说，$\exists \varepsilon > 0$，使得

$$\forall t \in I, \forall x, y \in U, |f(x, t) - f(y, t)| \leqslant \varepsilon |x - y|$$

$$(7-7)$$

对于某个足够小的正数 δ，如果 $t_0 \in J = [0, \delta] \subset I$，则微

分方程（7-6）存在唯一解 $x(t)$：$J{\rightarrow}U$（局部唯一性）。

为简化起见，本书考虑反思率恒为常数1，并且状态转换概率函数为仿射变换①情况，即有 $r_{ih(x)}\equiv1$，$\omega_{ik(u_i(e_i^h,x_{-i}),x)}=\lambda_i+\mu_iu_i(e_i^h,x_{-i})$，$(\lambda_i>0,\mu_i>0)$。则式（7-4）可以化简为

$$\dot{x}_{ih}=\frac{\mu_i}{\lambda_i+\mu_iu_i}[u_i(e_i^h,x_{-i})-u_i]x_{ih} \qquad (7-8)$$

其中，$u_i=\sum_{l\in S_i}\omega_{ih}[u_i(e_i^l,x_{-i}),x]x_{il}$ 为第 i 子总体的平均收益。

7.2 安全监察博弈模型

煤矿生产安全管理系统中各方博弈过程主要与利益与安全责任分配有关。以一个简单的安全监管博弈模型为例，构成博弈的两个参与人群体：参与人1是煤矿安监部门（监察者），参与人2是煤炭生产者②。由于监察检查过程要花费时间成本和物质成本，考虑到检查行为与生产过程紧密相关，假设参与人1的监察成本与参与人2的同期产值成比例，设为 a。参与人2（生产者）的纯策略选择是安全生产和不安全生产（遵章生产和违规生产），安全生产要付出一定生产成本，设生产安全投入为其同期产值的 b 倍；不安全生产时，政府监管部门一旦发现煤矿不安全生产会给予相应惩罚，假设罚金为 f。

为了提高监察的有效性，上级监管部门对参与人1采取约束激励措施。若参与人1（监察者）进行有效监察，参与人2安全生产，政府向参与人1支付一定奖金（或经费补助）k；一旦参与人2存在欺骗行为而参与人1没有发现，上级监管部门将对参

---

① 在几何上，两个向量空间之间的仿射变换（仿射映射）由一个非奇异的线性变换（运用线性函数进行的变换）和一个平移变换组成。函数形式的仿射变换一般表示为 f：$R{\rightarrow}R$，$f(x)=mx+c$，其中 m 与 c 为常数。

② 可以是煤炭生产企业集团，也可以是某个矿区、矿井、班组，也可以是一线生产工人。

与人 1 进行处罚，罚金也设为 f。本部分中没有考虑有滞后性的收入，如年终安全奖等。

表 7-1　监察博弈中参与人的策略选择与支付

监察博弈		参与人 2	
		安全生产（y）	不安全生产（$1-y$）
参与人 1	监察（x）	($-a$, $1-b$)	($k-a$, $1-f$)
	不监察（$1-x$）	(0, $1-b$)	($-f$, 1)

假设参与人 1 以概率 $x \in [0, 1]$ 选择监察策略，参与人 2 以概率 $y \in [0, 1]$ 选择安全生产策略，参与人的博弈策略选择概率与支付见表 7-1。

参与人 1 和 2 的平均收益分别是：

$$u_1 = [x \quad 1-x] A [y \quad 1-y]^T \qquad (7-9)$$

$$u_2 = [y \quad 1-y] B [x \quad 1-x]^T \qquad (7-10)$$

参与人 1 选择监察策略以及参与人 2 选择安全生产策略的收益分别是：

$$u_{11} = [1 \quad 0] A [y \quad 1-y]^T \qquad (7-11)$$

$$u_{22} = [1 \quad 0] B [x \quad 1-x]^T \qquad (7-12)$$

其中，$A = \begin{bmatrix} -a & k-a \\ 0 & -f \end{bmatrix}$ 和 $B = \begin{bmatrix} 1-b & 1-b \\ 1-f & 1 \end{bmatrix}$ 分别为参与人 1、2 的支付矩阵

该博弈模型不存在纯策略纳什均衡，仅存在一个混合策略纳什均衡 $P\left(\dfrac{b}{b+y}, 1-\dfrac{1-a}{(1+k)y}\right)$。

7.3　多总体演化博弈模型

针对煤矿生产安全管理中的实际情况，本书将煤矿工人分为熟练工人（职业素质高，单位产值安全投入较低）与非熟练工人（职业素质差，单位产值安全投入较大）两种情况，研究不同职工群体安全生产策略选择的演化情况，进而分析煤矿工人技

能培训等过程在煤矿生产安全管理中的作用。

由式（7-9）、式（7-10）、式（7-11）、式（7-12）整理可得：

$$
\begin{cases}
u_1 = (k + f - a)x + fy + (k + f)xy - f \\
u_{11} - u_1 = (1 - x)[(k + f)(1 - y) - a] \\
u_2 = 1 - fx - by + fxy \\
u_{21} - u_2 = (1 - y)(fx - b)
\end{cases}
\tag{7-13}
$$

将式（7-13）代入式（7-8）可得，参与人1选择监察策略以及生产队2选择安全生产策略的多总体复制子动态方程：

$$
\begin{cases}
\dot{x} = \dfrac{\mu_1(1 - x)[(k + f)(1 - y) - a]}{\lambda_1 + \mu_1[(k + f - a)x + fy + (k + f)xy - f]} \\[2mm]
\dot{y} = \dfrac{\mu_2(1 - y)(fx - b)}{\lambda_2 + \mu_2(1 - fx - by + fxy)}
\end{cases}
\tag{7-14}
$$

7.4 多总体演化动力系统的稳定性分析

7.4.1 奇点类型的划分

复制子动态方程（7-14）构成煤矿生产安全管理中的多总体演化博弈动力系统。一般情况下，系统存在五个奇点（0，0），（0，1），（1，0），（1，1），$P(x^*, y^*)$。其中，$x^* = \dfrac{b}{f}$，$y^* = 1 - \dfrac{a}{k+f}$。设 $T = \mathrm{div}(\dot{x}, \dot{y})$，$D = \det\left(\dfrac{\partial(\dot{x}, \dot{y})}{\partial(x, y)}\right)$，则根据参数 a，b，f，k 的不同情况，利用 T 与 D 取值可以判定动力系统在每个奇点附近的稳定性。

7.4.2 多总体博弈策略选择与演化

由于参数取值变化的影响，动力系统稳定性存在多种不同情况。首先取定模型参数取值为（$\lambda_1 = \lambda_2 = 0.3$；$\mu_1 = \mu_2 = 0.05$），通过对动力系统进行相位图分析，在监督力度（参与人1选择监

察策略的概率 x)、生产技术水平①存在差异，或者约束激励措施改变时，研究参与人博弈策略选择的变化趋势。

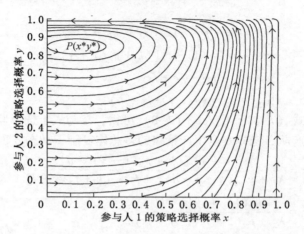

图 7-1　通常情况下的多总体演化博弈相位图
($a=0.3$；$b=0.2$；$f=1.5$；$k=0.5$)

通常情况下（图 7-1），点 P（x^*，y^*）为动力系统的中心，也是博弈模型的演化稳定策略（ESS）。由动力系统式（7-14）的表达可以看出，x^*，y^* 分别是 $\dot{y}$，$\dot{x}$ 的临界点。当 $x<x^*$ 时，$\dot{y}<0$；$x>x^*$ 时 $\dot{y}>0$。这说明，当煤矿安监部门监察力度较小时，对政府投入的意愿没有明显促进作用；只有监管强度超过一定水平时，企业才会有加大安全投入的愿望。而且，随着监督力度（参与人 1 选择监察策略的概率 x）增大，参与人 2 选择安全生产策略的概率 y 的增长率越来越大。另外，$y<y^*$ 时，$\dot{x}>0$；$y>y^*$ 时，$\dot{x}<0$。这说明，煤矿安监部门的监管力度会持续加强，直到政府投入比例超过一定水平。动态过程有

---

① 生产技术水平一定意义上表现为工人的安全生产成本，这是因为在生产技术水平低的时候，工人的安全成本很高，而生产技术水平越高工人的安全生产成本越低。

一个稳定的结点（1，1）。在其附近，x 越大，y 就以更快的速度趋于 1。此时，监管强度的加大可以引起生产安全投入的明显加强，对应政府投入的比例显著增加。

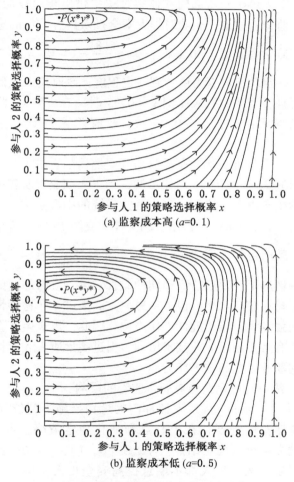

(a) 监察成本高 (a=0.1)

(b) 监察成本低 (a=0.5)

图 7-2　政府监察成本高低情形的比较

（b=0.2；f=1.5；k=0.5）

（1）政府监督成本对安全监管的影响。

如图 7-2 所示，煤矿安监部门监管成本 a 变小时，中心 $P(x^*, y^*)$ 上移至 （2/15，0.95），其右下方区域变大。在这种情况下，煤矿安监部门在监察过程中付出相对较低的成本，就能达到监督的效果，企业对加大安全投入具有充足的意愿。例如，政府监管力度值 $x=0.8$ 时，$\dot{y}=\dfrac{6.8}{5.8+y}-1>0$，$y\in$ （0，1）。这说明，一旦政府监管力度达到一定程度，政府投入比例会持续增大。而且，当政府投入比例 $y<0.95$ 时，有 $\dot{x}>0$，此时监管力度不断增强；只有 $y>0.95$ 时，政府监管力度才有降低的趋势。

（2）工人职业技术水平差异对安全监管的影响

由图 7-3a 与图 7-3b 对比可知，当工人职业素质较低时，单位生产的生产投入 b 较大，演化博弈系统的中心点 $P(x^*, y^*)$ 右移至 （7/15，0.85）。再结合图 7-1 （或图 7-2a）所示情形对比可知，政府监管力度值 $x=0.8$ 时，$\dot{y}=\dfrac{12.6}{11.6+y}-1<\dfrac{6.8}{5.8+y}-1$ 变小。这种情形下，要想达到预期的监管效果，政府部门的监管强度必须保持在较高水平。但是从另一方面来讲，在这种情况下工人的劳动强度大，难于胜任工作岗位。因此，煤炭生产企业在这种情况下有必要通过职业技术培训、引进高素质人才等措施，改善工人的职业素质和技术能力。

（3）约束与激励措施对安全监管的影响

如图 7-4 所示，煤矿安监部门的惩罚措施不到位（f 较小）时，演化博弈系统不存在中心点和演化稳定策略，点 （1，1）也不是动力系统的稳定结点。$\forall x\in$ [0，1]，$\dot{y}<0$。此时，不论监管强度多大，工人都不愿意提高安全投入比例。这种情况下，安全生产投入与政府监管力度不存在正相关状态，监管无效、生产混乱，极易出现安全事故隐患。因此，煤炭生产企业在生产管理中要始终遵循"安全第一"原则，紧抓安全不放松。

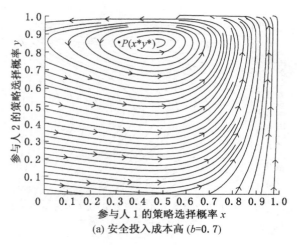

(a) 安全投入成本高 (b=0.7)

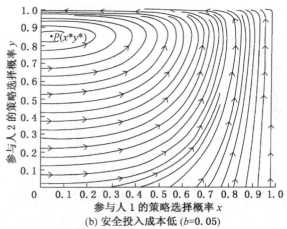

(b) 安全投入成本低 (b=0.05)

图 7-3　安全生产成本高低比较（a=0.3；f=1.5；k=0.5）

需要说明的是，如果安全管理中对不安全行为的处罚过度的严格，虽然安全管理的效果可能会提高，但企业安全管理过程也可能会出现不稳定性（图 7-4b）。

如图 7-5 所示，煤矿安监部门的奖励 k 减少时，$y^* = 1 - \dfrac{a}{k+f}$

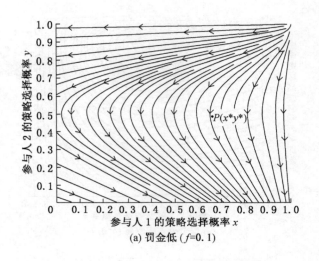

(a) 罚金低 (f=0.1)

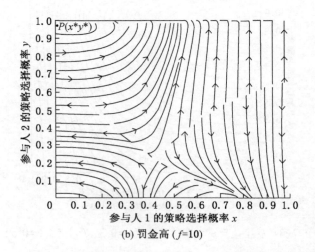

(b) 罚金高 (f=10)

图 7-4　罚金高低比较（a=0.3；b=0.2；k=0.5）

变小，演化博弈系统的中心点 $P(x^*, y^*)$ 向下移动（利用图 7-5 绘图时所用参数取值计算得，y^*=0.8）。由于 $y > y^*$ 时，$\dot{x} < 0$。也就是说，在工人的安全投入比例超过 0.8 时，政府监管

力度就开始降低。这样，虽然动力系统的演化规律没有发生本质的改变，但监督积极性不足，也导致工人的安全生产投入不能维持在较高的水平。因此，对政府监管部门的激励措施，能够对工人的生产安全投入产生积极的促进作用。

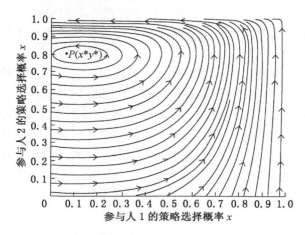

图7-5　没有奖励（$a=0.3$；$b=0.2$；$f=1.5$，$k=0$）

通过煤矿安全生产中的多总体演化博弈模型研究发现，一般情况下，演化博弈系统的解轨道为围绕中心 $P(x^*, y^*)$ 的闭曲线，企业生产安全投入与政府的监管强度选择相互影响，形成互动的循环演化规律。特别地，当 $x > x^*$ 时，$\dot{y} > 0$。也就是说，监管力度超过一定水平时，工人的安全投入积极性就会不断提高。

另外，演化均衡中某些细节也会对博弈均衡选择有重要的影响，借助动力系统稳定性理论，明确了以下结论：

（1）良好的政府安全生产监管制度，会促使企业采取人才引进、安全技术培训等措施提高职工职业素质，提高煤矿职工中的生产技术水平高、安全素质高的人才的比例。长期来看，煤炭生产企业对职工的安全培训是具有长远性和战略性的投资，是企业提升安全管理水平的重要举措。

（2）政府惩罚力度要得到保证。惩罚力度较低时，企业会出现安全投入减少的情况；而惩罚力度加大时，企业就会加大生产安全投入。一般来讲，罚金越高，监管行为的作用越大；而没有罚金时，安全管理的稳定性被破坏，容易造成安全管理的混乱。

（3）适当的奖励措施会对安全管理产生积极作用。奖励不是必需的，但是奖励会对煤矿安监部门监管的效果产生较好的促进作用。

另外，煤矿在生产过程中工人的行为必定会受到各种群体文化和组织行为的影响。良好的企业文化和组织环境对工人的价值观、工作状态、工作方法、学习方式等都具有十分重要的作用。在煤炭生产企业的生产过程中，良好的企业文化和组织环境能够为工人的行为选择做出正确导向，使得工人的行为更符合煤炭生产企业的组织利益。企业对工人安全培训是企业提升安全管理水平的重要措施，会对工人的安全行为产生长远的影响作用。

8 行为动态性的控制与煤矿生产安全管理制度的调控

一般条件下，安全监管博弈模型动力系统不具有全局稳定性。安全管理行为的波动状态往往会给决策者提供错误信息，进而会造成相关决策和措施的不切实际甚至错误，严重影响煤矿生产安全管理的效率和水平。本章主要是考虑从安全行为的成本投入、不安全行为的惩罚指数以及选择不安全行为的比例等入手，探索模型参数和变量对博弈行为动态性的影响机制，找到模型参数和变量的设计机制（即为安全监管过程中激励与惩罚措施的制定），并以此提出对利益相关者博弈行为动态性的控制方法和控制策略。

通过第5章有关博弈模型动力系统稳定性分析的研究，可以发现多方博弈过程存在反复的波动（见图5-1、图5-2、图5-3、图5-4、图5-5等）。由于在一般条件下，安全监管博弈模型动力系统不具有全局稳定性。现有研究中大多是从政策制定者角度，根据具体的情况（常见的事故类型、违章行为等）提出安全管理的制度和措施。这样，即便是相关政策和措施在短时间内发挥了一定作用，但是由于没有对利益相关者博弈行为的动态性进行控制（抑制或避免），无法保证煤矿生产安全管理政策与措施的长期有效性。而且，这种反复的波动状态和动态变化过程往往会给决策者提供错误信息，进而会造成煤矿生产安全管理相关决策和措施的不切实际甚至错误，严重影响煤矿生产安全管理的效率和水平。

如果能够找出煤矿安全监管过程中行为策略选择动态性的控制方法和策略，将会极大地提高煤矿生产安全管理的作用和效率。相关的动态性控制方法和策略也会为煤矿生产安全管理制度与措施的调控提供理论依据。本章主要是考虑从安全行为的成本投入（Cost）、不安全行为的惩罚指数（Fine）以及选择不安全行为的比例 x_i 等模型参数（或变量）对利益相关各方的支付（Payoff，安全利益收入）关系入手，探索模型参数和变量对博弈行为动态性的影响机制，找到模型参数和变量的设计机制（即为安全监管过程中激励与惩罚措施的制定），并以此提出对利益相关者博弈行为动态性的控制方法和控制策略。即首先对于一般的成本补贴与惩罚指数变动的情形，研究博弈模型动力系统稳定性的变化；然后，考虑动态成本与动态惩罚函数激励下，演化动力系统的稳定性。

8.1 静态成本补贴情形下演化动力系统的稳定性

本书所指的静态成本补贴，指的是对各个参与人的安全生产或者安全监察的成本进行无差别的、人均共享的政策性或者行业性补贴，例如井下津贴、岗位津贴等。对于博弈模型来讲，也就是将生产工人的安全生产成本 c_1、企业安全检查小组与政府主管安全部门的检查成本或者监察成本 c_2，c_3 的取值变小。因此，在煤矿生产安全管理系统中多方博弈演化模型（5-1）的一般情况的基础上，即参数取值为 $c_1 = 0.5$，$c_2 = 0.2$，$c_3 = 0.3$，$f_1 = 1$，$f_2 = 1.2$，变量初始值（x_1（0），x_2（0），x_3（0））$= p_1$（0.7，0.5，0.3）（如图 8-1 所示），将 c_1，c_2，c_3 取值分别变小或同时变小，得到多方博弈演化模型在静态成本补贴下的四种情况。通过对比分析，研究博弈模型动力系统的稳定性。

其中，图 8-1a、图 8-1b、图 8-1c 为生产工人的安全成本 c_1 取值逐步变小的情况下，三方安全监管博弈模型策略选择概率 x_1，x_2，x_3 的时间序列图；图 8-1d、图 8-1e、图 8-1f 为企业安全检查部门的安全检查成本 c_2 取值逐步变小的情况下，策略选择概率 x_1，x_2，x_3 的时间序列图；图 8-1g、图 8-1h、图 8-1i 为

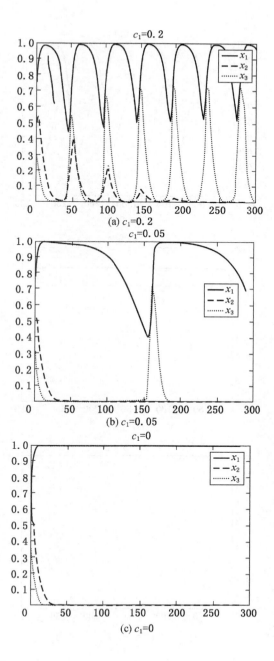

(a) $c_1=0.2$

(b) $c_1=0.05$

(c) $c_1=0$

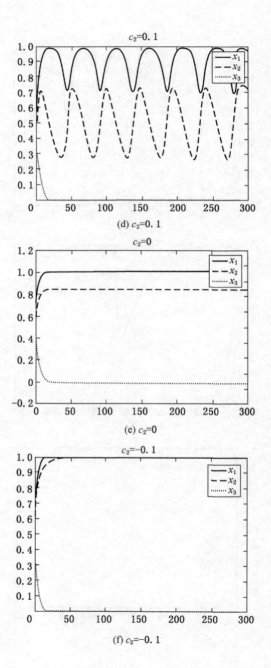

(d) $c_2=0.1$

(e) $c_2=0$

(f) $c_2=-0.1$

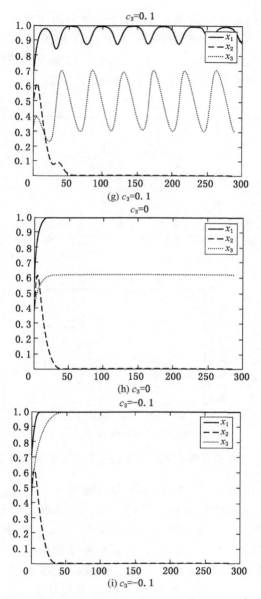

图 8-1　策略选择的时间序列图（c_1，c_2，c_3 取值分别变小时）

煤矿安监部门的监察成本 c_3 取值逐步变小的情况下，策略选择概率 x_1，x_2，x_3 的时间序列图；图 8-2a、图 8-2b、图 8-2c 为三个安全行为的成本 c_1，c_2，c_3 的取值同时变小的情况下，三方安全监管博弈模型策略选择概率的时间序列图。

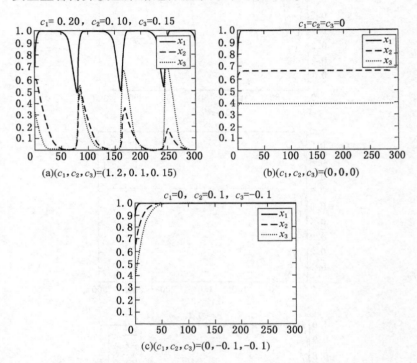

图 8-2 策略选择的时间序列图（c_1，c_2，c_3 取值同时变小时）

由图 8-1 和图 8-2 可以看出，随着 c_1，c_2，c_3 取值的变小，动力系统的波动性有所降低。但是，系统稳定性并没有得到显著性的改变。只有在 $c_1 = 0$，$c_2 < 0$，$c_3 < 0$ 这种在实际中难以达到的极端条件下，x_1（生产工人选择安全生产的概率）会快速稳定地逼近于 1（图 8-2c）。而在一般状况下（图 8-1a、图 8-1b），x_1 并没有较好的稳定性（可控性）。这一方面说明在条件允许的情况下，应该提高工人的工资福利水平，改善工

人的工作、生活条件。另一方面，近年来煤炭生产企业经济效益的发展有时十分的艰难，企业和政府部门的许多政策性补贴不会很充足。

8.2 动态成本函数情形下演化动力系统的稳定性

一般意义下的成本降低（政策性补贴），并不能彻底改变博弈模型动力系统的波动性。薪酬，包括岗位工资、绩效工资、奖金（月奖、季度奖、年奖等）、津贴、劳动分红、福利等，是企业职工因向其所在工作单位提供劳动或劳务而获得的各种形式的酬劳或回报的总和，特别是其中的可变部分（绩效工资、奖金等）在激发煤炭生产企业生产工人的工作热情和提高工作效率和积极性等方面有非常重要的作用。通过统计分析发现，近年来我国各类企业（包括煤炭行业中各类企业）中职工工资的绩效工资、季度奖、年终奖等可变收入占职工总收入的比重越来越大。因此，我们将绩效工资、奖金等计入参与人的安全生产成本，考虑 $c_i(x_i) = c_i \cdot (1-x_i)$ 等形式构造动态成本函数代替静态的安全生产成本值，分析动态成本下动力系统稳定性。

如果取 $c_i(x_i) = c_i(1-x_i)$，$i = 1, 2, 3$，则博弈模型中三个参与人的收益函数分别为：

$$\begin{cases} u_1 = -x_1(1-x_1)c_1 - (1-x_1)(x_2 + x_3 - x_2x_3)f_1 \\ u_2 = -x_2(1-x_2)c_2 + (1-x_1)[x_2f_1 - (1-x_2)x_3f_2] \\ u_3 = -x_3(1-x_3)c_3 + (1-x_1)(1-x_2)x_3(f_1 + f_2) \end{cases}$$

$$(8-1)$$

博弈模型对应的复制子动态方程（Replicator Dynamics）：

$$\begin{cases} \dot{x_1} = x_1(1-x_1)[x_1c_1 + (x_2 + (1-x_2)x_3)f_1] \\ \dot{x_2} = x_2(1-x_2)[x_2c_2 + (1-x_1)(f_1 + x_3f_2)] \\ \dot{x_3} = x_3(1-x_3)[x_3c_3 + (1-x_1)(1-x_2)(f_1 + f_2)] \end{cases}$$

$$(8-2)$$

博弈模型动力系统的 Jacobian 矩阵

$$J = \frac{\partial(\dot{x}_1, \ \dot{x}_2, \ \dot{x}_3)}{\partial(x_1, \ x_2, \ x_3)} =$$

$$\begin{bmatrix} l_1 & x_1(1-x_1)(1-x_3)f_1 & x_1(1-x_1)(1-x_2)f_1 \\ x_2(1-x_2)(f_1+f_2x_3) & l_2 & x_2(1-x_1)(1-x_2)f_2 \\ -x_3(1-x_3)(1-x_2)(f_1+f_2) & -x_3(1-x_3)(1-x_1)(f_1+f_2) & l_3 \end{bmatrix}$$

$$(8-3)$$

其中，

$$l_1 = (1-2x_1)(x_2+x_3-x_2x_3)f_1 + (2x_1-3x_1^2)c_1$$

$$l_2 = (1-2x_2)(1-x_1)(f_1+x_3f_2) + (2x_2-3x_2^2)c_2$$

$$l_3 = (1-2x_3)(1-x_1)(1-x_2)(f_1+f_2) + (2x_3-3x_3^2)c_3$$

令 $\dot{x}_1 = \dot{x}_2 = \dot{x}_3 = 0$，则发现系统中仅存在 8 个纯策略均衡点 X_i（$i=0, 1, \cdots, 8$）：$(0, 0, 0)$，$(1, 0, 0)$，$(0, 1, 0)$，$(0, 0, 1)$，$(1, 1, 0)$，$(1, 0, 1)$，$(0, 1, 1)$，$(1, 1, 1)$。代入式（8-3），均衡点处的 Jacobian 矩阵均为对角矩阵（表8-1）。值得注意的是，对应着参与人选择安全生产的概率 $x_1=1$ 的 4 个平衡点处，Jacobian 矩阵的特征值均为负数或者 0。而且，对应 x_1 的第一个特征值均为负值。由此可见，在这种动态成本函数情况下，参与人 1（生产工人）的演化博弈策略（ESS）为 $x_1=1$，即一定会选择安全生产策略。

表8-1　动态成本情形下动力系统平衡点的 Jacobian 矩阵

均衡点	$(0, 0, 0)$	$(0, 1, 0)$	$(0, 0, 1)$	$(0, 1, 1)$
J	diag $(0, f_1, f_1+f_2)$	diag $(f_1, -c_2-f_1, 0)$	diag $(f_1, f_1+f_2, -c_3-f_1-f_2)$	diag $(f_1, -c_2-f_1-f_2, -c_3)$
均衡点	$(1, 0, 0)$	$(1, 1, 0)$	$(0, 1, 0)$	$(0, 0, 1)$
J	diag $(-c_1, 0, 0)$	diag $(-c_1, -c_2, 0)$	diag $(-c_1, 0, -c_3)$	diag $(-c_1-f_1, -c_2, -c_3)$

如图 8-3 和图 8-4 所示，虽然动力系统从不同的初始位置开始演化，但是系统总是能够比较快的进入演化稳定状态，特别是对于比较合理的初始状态取值，例如（x_1（0），x_2（0），x_3（0））为 P_0（0.5，0.3，0.2）和 P_1（0.7，0.5，0.3）（如图 8-3a、图 8-3b）。

因此，企业建立激励性的薪酬制度，将生产工人的收入与安全生产的效率、不安全行为出现的频率等紧密联系，提高煤炭生产工人的绩效工资、奖金、福利等动态收入在其个人收入中的占比，就会使得煤矿生产安全管理中不安全行为的动态性大大降

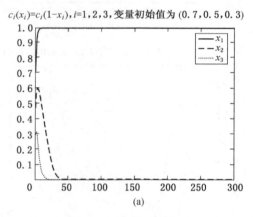

$c_i(x_i)=c_i(1-x_i), i=1,2,3,$ 变量初始值为 $(0.7, 0.5, 0.3)$

(a)

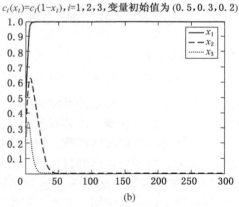

$c_i(x_i)=c_i(1-x_i), i=1,2,3,$ 变量初始值为 $(0.5, 0.3, 0.2)$

(b)

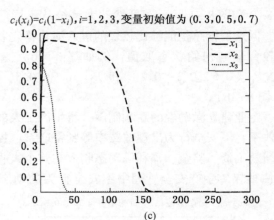

$c_i(x_i)=c_i(1-x_i)$, $i=1,2,3$,变量初始值为 $(0.3,0.5,0.7)$

(c)

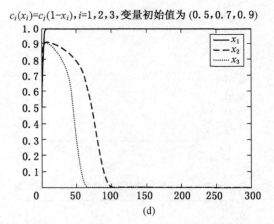

$c_i(x_i)=c_i(1-x_i)$, $i=1,2,3$,变量初始值为 $(0.5,0.7,0.9)$

(d)

图 8-3 动态成本条件下 x_1, x_2, x_3 的时间序列图

$[c_i(x_i)=c_i(1-x_i)$, $i=1,2,3$; $f_1=1$, $f_2=1.2]$

低，进而促使煤炭安全生产进入稳定的可控状态。

　　要想使国有煤炭生产企业薪酬系统具有激励性，薪酬分配制度必须与员工绩效相结合，坚持按绩取酬。绩效薪酬可以把企业与员工的利益统一起来，员工为自己的目标奋斗的同时也为企业创造了价值，达到一种"双赢"的结果。绩效薪酬实施过程中注意要有科学的绩效评估体系为依据，否则会影响绩效薪酬的公

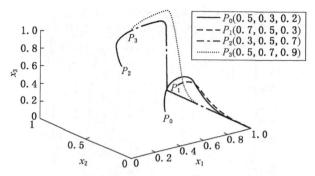

图 8-4　动态成本条件下博弈动力系统相位图

$[c_i(x_i) = c_i(1-x_i),\ i=1,\ 2,\ 3;\ f_1=1,\ f_2=1.2]$

平性，达不到激励员工的目的。

8.3　静态惩罚指数情形下演化动力系统的稳定性

如图 8-5 所示，随着 f_1，f_2 取值的增大，动力系统的波动性有所降低。图 8-5a、图 8-5b、图 8-5c 对比可知，f_1 取值增大时，会使得 x_1 以更小的振幅逼近于 1，x_2 波动性虽然略有降低但取值有增加的趋势。这说明 f_1 取值增大会使得生产工人加大选择安全生产的意愿，同时企业安全检查部门也愿意加大检查的力度。

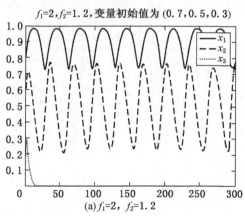

(a) $f_1=2$，$f_2=1.2$

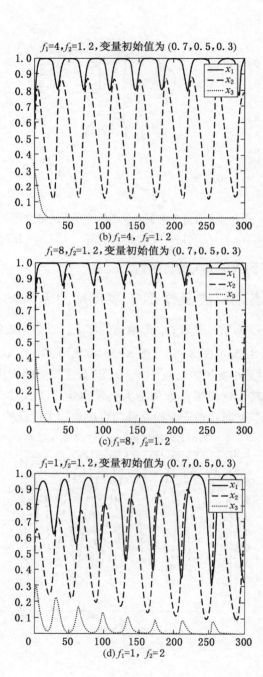

(b) $f_1=4$，$f_2=1.2$

(c) $f_1=8$，$f_2=1.2$

(d) $f_1=1$，$f_2=2$

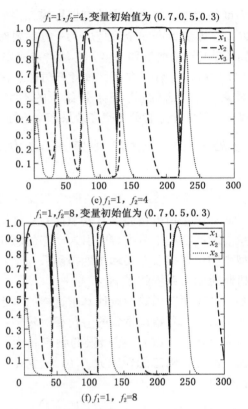

图 8-5 静态惩罚指数情形下参与人行为选择
的时间序列图 (f_1, f_2 取值增大时)

由图 8-5d、图 8-5e、图 8-5f 对比可知，f_2 取值增大时，会使得 x_1 波动的频率降低而且逼近于 1 的机会增大。但是，从图中也可以看出，随着 f_1，f_2 取值的增大，x_2，x_3 的波动性并没有显著降低，而且在 f_2 取值增大，x_2，x_3 取值都有增大的趋势。这说明，f_2 取值增大会直接导致参与人 2 和参与人 3 工作量的增加，安全监管状况处于极度紧张状态。

值得指出的是，虽然随着 f_1，f_2 取值的增大，动力系统的波动性会有所降低，但并没有得到本质性的改变。这说明，一般情况下的惩罚力度的增加，不会彻底改变博弈模型中参与人行为的动态性。所以，在煤矿生产安全管理中，一方面要对不安全行为严加惩治，如果没有严格的惩罚力度，必然会造成安全监管不力、管理混乱等灾难性后果；另一方面，过度严厉的惩治措施可能会引发被监管对象工作状态的不稳定、情绪上的不满等负面作用，这往往会对煤矿生产安全监管的效率和效果产生不好的影响。

8.4 动态惩罚函数情形下演化动力系统的稳定性

单纯的 f_1，f_2 取值的增大，并不会彻底改变参与人策略选择的不稳定性。而动态惩罚策略能够有效地抑制监督博弈演化过程中的波动现象。因此，在本节内容中引入动态的惩罚函数，也就是将博弈模型中的惩罚指数 f_i 用动态惩罚函数 $f_i(x_i)$ 代替，研究动态的惩罚机制对动力系统的影响。

本节内容中动态惩罚函数的设计基于这样的考虑：对于不经常犯错误的参与人，偶犯错误得到的惩罚相对较轻；而对于经常犯错误的参与人（屡教不改），犯错误的频率越大，相应的惩罚力度就会更大。因此，动态惩罚函数 $f_i(x_i)$ 主要讨论四种函数形式进行对比分析：

$$M_i \cdot (1 - x_i), \ M_i \cdot (1 - x_i^2), \ M_i \cdot \left(\frac{1}{x_i} - 1\right), \ M_i \cdot \left(\frac{1}{x_i^2} - 1\right)$$
$$i = 1, \ 2$$

如图 8-6、图 8-7、图 8-8 所示（数值模拟时，取 $M_1 = f_1 = 1$；$M_2 = f_2 = 1.2$），动态惩罚机制能够显著改善演化博弈模型动力系统的稳定性。特别是后两种函数形式的动态惩罚函数 $\left[M_i \cdot \left(\frac{1}{x_i} - 1\right), \ M_i \cdot \left(\frac{1}{x_i^2} - 1\right)\right]$ 能够有效地控制博弈模型的演化稳定性，使得参与人策略选择的概率 x_1，x_2，x_3 能够快速的趋于稳定。另外，从动力系统稳定性理论上讲能够避免平衡点出现 $x_i = 0$ 情况（x_i 出现在分母上）。

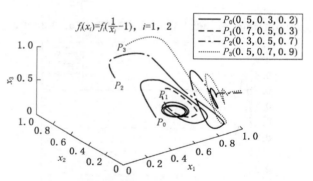

$f_i(x_i)=f_i(\frac{1}{x_i}-1)$, $i=1$, 2

- $P_0(0.5, 0.3, 0.2)$
- $P_1(0.7, 0.5, 0.3)$
- $P_2(0.3, 0.5, 0.7)$
- $P_3(0.5, 0.7, 0.9)$

图 8-6 动态惩罚机制下博弈动力系统相位图

$(f_i\ (x_i)\ =f_i\ (x_i^{-1}-1),\ i=1,\ 2)$

动态惩罚函数 $f(x)=M(1-x)$，变量初始值为 (0.5，0.3，0.2)

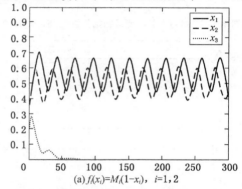

(a) $f_i(x_i)=M_i(1-x_i)$，$i=1, 2$

动态惩罚函数 $f(x)=M(1-x^2)$，变量初始值为 (0.5，0.3，0.2)

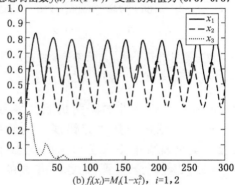

(b) $f_i(x_i)=M_i(1-x_i^2)$，$i=1, 2$

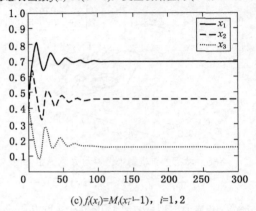

动态惩罚函数 $f(x)=M(x^{-1}-1)$,变量初始值为 $(0.5,0.3,0.2)$

(c) $f_i(x_i)=M_i(x_i^{-1}-1)$,$i=1,2$

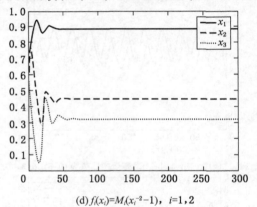

动态惩罚函数 $f(x)=M(x^{-2}-1)$,变量初始值为 $(0.5,0.3,0.2)$

(d) $f_i(x_i)=M_i(x_i^{-2}-1)$,$i=1,2$

图 8-7 动态惩罚机制下参与人策略选择的时间序列图

$[p_0=(0.5,0.3,0.2)]$

因此,如果能够引入动态性的惩罚机制,将参与人出现不安全行为可能会收到的惩罚与其"犯错误"的频率关联起来,可以显著降低煤矿安全监管中不安全行为的动态性,提高安全监管的效率,同时保障安全监管制度和措施的平稳性和可控性。

如果取 $f_i(x_i) = f_i\left(\dfrac{1}{x_i^2} - 1\right)$，$i = 1$，2，则博弈模型中三个参与人的收益函数分别为

$$\begin{cases} u_1 = -x_1 c_1 - (1 - x_1)(x_2 + x_3 - x_2 x_3) f_1\left(\dfrac{1}{x_1^2} - 1\right) \\[2mm] u_2 = -x_2 c_2 + (1 - x_1)\left[x_2 f_1\left(\dfrac{1}{x_1^2} - 1\right) - (1 - x_2) x_3 f_2\left(\dfrac{1}{x_2^2} - 1\right) \right] \\[2mm] u_3 = -x_3 c_3 + (1 - x_1)(1 - x_2) x_3 \left[f_1\left(\dfrac{1}{x_1^2} - 1\right) + f_2\left(\dfrac{1}{x_2^2} - 1\right) \right] \end{cases}$$

$$(8\text{-}4)$$

博弈模型对应的复制子动态方程（Replicator Dynamics）：

$$\begin{cases} \dot{x}_1 = x_1(1 - x_1)\left[-c_1 + (x_2 + x_3 - x_2 x_3) f_1\left(\dfrac{1}{x_1^2} - 1\right) \right] \\[2mm] \dot{x}_2 = x_2(1 - x_2)\left\{ -c_2 + (1 - x_1)\left[f_1\left(\dfrac{1}{x_1^2} - 1\right) + x_3 f_2\left(\dfrac{1}{x_2^2} - 1\right) \right] \right\} \\[2mm] \dot{x}_3 = x_3(1 - x_3)\left\{ -c_3 + (1 - x_1)(1 - x_2)\left[f_1\left(\dfrac{1}{x_1^2} - 1\right) + f_2\left(\dfrac{1}{x_2^2} - 1\right) \right] \right\} \end{cases}$$

$$(8\text{-}5)$$

博弈模型动力系统的 Jacobian 矩阵

$$J = \frac{\partial(\dot{x}_1, \ \dot{x}_2, \ \dot{x}_3)}{\partial(x_1, \ x_2, \ x_3)} = (j_{ij})_{3\times3} \tag{8-6}$$

其中，

$$j_{11} = (1 - 2x_1)\left[(x_2 + x_3 - x_2 x_3) f_1\left(\frac{1}{x_1^2} - 1\right) - c_1 \right] - \frac{2(1 - x_1)(x_2 + x_3 - x_2 x_3) f_1}{x_1^2}$$

$$j_{12} = x_1(1 - x_1)(1 - x_3) f_1\left(\frac{1}{x_1^2} - 1\right)$$

$$j_{13} = x_1(1 - x_1)(1 - x_2) f_1\left(\frac{1}{x_1^2} - 1\right)$$

$$j_{21} = x_2(1 - x_2)\left[-f_1\left(\frac{1}{x_1^2} - 1\right) - \frac{2(1 - x_1)f_1}{x_1^3} + f_2\left(\frac{1}{x_2^2} - 1\right)x_3\right]$$

$$j_{22} = (1 - 2x_2)\left\{(1 - x_1)\left[f_1\left(\frac{1}{x_1^2} - 1\right) + x_3 f_2\left(\frac{1}{x_2^2} - 1\right)\right] - c_2\right\} - \frac{2(1 - x_1)(1 - x_2)x_2 x_3 f_2}{x_2^3}$$

$$j_{23} = x_2(1 - x_1)(1 - x_2)f_2\left(\frac{1}{x_2^2} - 1\right)$$

$$j_{31} = -x_3(1 - x_3)(1 - x_2)\left[f_2\left(\frac{1}{x_2^2} - 1\right) - f_1\left(\frac{1}{x_1^2} - 1\right) - \frac{2(1 - x_1)f_1}{x_1^3}\right]$$

$$j_{32} = -x_3(1 - x_3)(1 - x_1)\left[f_1\left(\frac{1}{x_1^2} - 1\right) - f_2\left(\frac{1}{x_2^2} - 1\right) - \frac{2(1 - x_2)f_2}{x_2^3}\right]$$

$$j_{33} = (1 - 2x_3)\left\{(1 - x_1)(1 - x_2)\left[f_1\left(\frac{1}{x_1^2} - 1\right) + f_2\left(\frac{1}{x_2^2} - 1\right)\right] - c_3\right\}$$

令 $\dot{x}_1 = \dot{x}_2 = \dot{x}_3 = 0$，则发现系统中仅存在 2 个纯策略均衡点 $X_0 = (1, 1, 0)$；$X_1 = (1, 1, 1)$，系统还可能存在满足如下条件的混合策略均衡点 X_2：

$$\begin{cases} (x_2 + x_3 - x_2 x_3)f_1\left(\frac{1}{x_1^2} - 1\right) = c_1 \\ (1 - x_1)\left[f_1\left(\frac{1}{x_1^2} - 1\right) + x_3 f_2\left(\frac{1}{x_2^2} - 1\right)\right] = c_2 \\ (1 - x_1)(1 - x_2)\left[f_1\left(\frac{1}{x_1^2} - 1\right) + f_2\left(\frac{1}{x_2^2} - 1\right)\right] = c_3 \end{cases} \quad (8-7)$$

计算可得，$J(X_0) = \mathrm{diag}(c_1, c_2, -c_3)$；$J(X_1) = \mathrm{diag}(c_1, c_2, c_3)$，这两个纯策略均衡点处的 Jacobian 矩阵均存在正特征值，这说明动力系统在这两个平衡点领域上均不具有演化稳定性。由式（8-7）可知，混合策略均衡点 X_2 存在时，其中 x_1 的解也不会是 1。

动态惩罚函数 $f(x)=M(1-x)$，变量初始值为 (0.7，0.5，0.3)

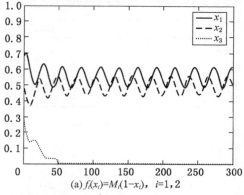

(a) $f_i(x_i)=M_i(1-x_i)$，$i=1,2$

动态惩罚函数 $f(x)=M(1-x^2)$，变量初始值为 (0.7，0.5，0.3)

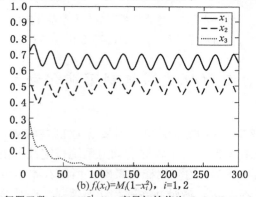

(b) $f_i(x_i)=M_i(1-x_i^2)$，$i=1,2$

动态惩罚函数 $f(x)=M(x^{-1}-1)$，变量初始值为 (0.7，0.5，0.3)

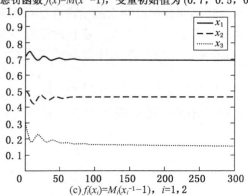

(c) $f_i(x_i)=M_i(x_i^{-1}-1)$，$i=1,2$

动态惩罚函数 $f(x)=M(x^{-2}-1)$，变量初始值为 $(0.7, 0.5, 0.3)$

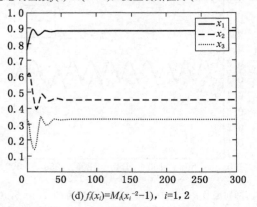

(d) $f_i(x_i)=M_i(x_i^{-2}-1)$，$i=1, 2$

图 8-8　动态惩罚机制下参与人策略选择的
时间序列图 $[p_1 = (0.7, 0.5, 0.3)]$

8.5　组合激励性奖罚机制下演化动力系统的稳定性

动态成本（激励性薪酬）需要企业牺牲较高的经济利益，而动态的惩罚机制具有了较好的动力系统稳定性。由于我们希望动力系统存在 $x_1 = 1$ 的演化稳定策略，所以在本节内容中不再将所有参与人统一进行激励性薪酬和动态惩罚，而是尝试将一部分参与人的激励性薪酬和其他参与人的动态性惩罚机制组合起来研究。例如，对参与人 1（生产工人）进行激励性薪酬，对参与人 2 进行动态惩罚机制，不对参与人 3 进行动态的激励和惩罚。此时，设 $c_1(x_1) = c_1 \cdot (1 - x_1)$；$f_2(x_2) = f_2 \cdot \left(\dfrac{1}{x_2^2} - 1 \right)$，其他参数 c_2，c_3，f_1，f_2 保持不变。博弈模型中三个参与人的收益函数分别为

$$\begin{cases} u_1 = -x_1(1 - x_1)c_1 - (1 - x_1)(x_2 + x_3 - x_2x_3)f_1 \\ u_2 = -x_2c_2 + (1 - x_1)\left[x_2f_1 - (1 - x_2)x_3f_2\left(\dfrac{1}{x_2^2} - 1\right) \right] \\ u_3 = -x_3c_3 + (1 - x_1)(1 - x_2)x_3\left[f_1 + f_2\left(\dfrac{1}{x_2^2} - 1\right) \right] \end{cases}$$

$$(8-8)$$

博弈模型对应的复制子动态方程（Replicator Dynamics）：

$$\begin{cases} \dot{x}_1 = x_1(1 - x_1)\left[x_{1c_1} + (x_2 + x_3 - x_2x_3)f_1 \right] \\ \dot{x}_2 = x_2(1 - x_2)\left\{ -c_2 + (1 - x_1)\left[f_1 + x_3f_2\left(\dfrac{1}{x_2^2} - 1\right) \right] \right\} \\ \dot{x}_3 = x_3(1 - x_3)\left\{ (1 - x_1)(1 - x_2)\left[f_1 + f_2\left(\dfrac{1}{x_2^2} - 1\right) \right] - c_3 \right\} \end{cases}$$

$$(8-9)$$

博弈模型动力系统的 Jacobian 矩阵

$$J = \frac{\partial(\dot{x}_1,\ \dot{x}_2,\ \dot{x}_3)}{\partial(x_1,\ x_2,\ x_3)} = (m_{ij})_{3\times3} \qquad (8-10)$$

其中，

$$m_{11} = (1 - 2x_1)(x_2 + x_3 - x_2x_3)f_1 + (2x_1 - 3x_1^2)c_1$$
$$m_{12} = x_1(1 - x_1)(1 - x_3)f_1$$
$$m_{13} = x_1(1 - x_1)(1 - x_2)f_1$$
$$m_{21} = x_2(1 - x_2)\left[f_1 + f_2\left(\dfrac{1}{x_2^2} - 1\right)x_3 \right]$$
$$m_{22} = (1 - 2x_2)$$
$$\left\{ (1 - x_1)\left[f_1 + x_3f_2\left(\dfrac{1}{x_2^2} - 1\right) \right] - c_2 \right\} - \frac{2(1 - x_1)x_2(1 - x_2)x_3f_2}{x_2^3}$$
$$m_{23} = x_2(1 - x_1)(1 - x_2)f_2\left(\dfrac{1}{x_2^2} - 1\right);$$
$$m_{31} = -x_3(1 - x_3)(1 - x_2)\left[f_1 + f_2(1x_2^2 - 1) \right]$$
$$m_{32} = -x_3(1 - x_3)(1 - x_1)\left[-f_2\left(\dfrac{1}{x_2^2} - 1\right) - \frac{2(1 - x_2)f_2}{x_2^3} + f_1 \right]$$

$$m_{33} = (1 - 2x_3)\left[(1 - x_1)(1 - x_2)\left[f_1 + f_2\left(\frac{1}{x_2^2} - 1\right)\right] - c_3\right]$$

令 $\dot{x}_1 = \dot{x}_2 = \dot{x}_3 = 0$，则发现系统中仅存在 4 个纯策略均衡点 X_i（$i = 0, 1, 2, 3$）：（0, 1, 0），（0, 1, 1），（1, 1, 0），（1, 1, 1）。代入式（8-10），均衡点处的 Jacobian 矩阵分别是：

$$\text{diag}(f_1, \quad -f_1, \quad -c_3), \quad \text{diag}(f_1, \quad c_2 - f_1, \quad c_3),$$

$$\text{diag}(-f_1 - c_1, \quad c_2, \quad -c_3), \quad \text{diag}(-f_1 - c_2, \quad c_2, \quad c_3)$$

值得注意的是，对应着参与人选择安全生产的概率 $x_1 = 1$ 的 2 个平衡点的第一个特征值均为负值。由此可见，在这种动态成本函数情况下，参与人 1 的演化博弈策略（ESS）为 $x_1 = 1$，即煤矿工人一定会选择安全生产策略。

如图 8-9、图 8-10 所示，在组合的激励性薪酬（成本动态化）和动态惩罚机制下，虽然基于不同的微分动力系统的初始值，但是系统总是能在短时间内（由于没有对参与人 3 的激励，博弈模型演化过程中煤矿安监部门的安全监管策略依然要经过一定时间的波动）趋于稳定在一个非常理想的状态（参与人 1 以 $x_1 = 1$ 选择安全生产策略，x_2，x_3 的取值也稳定在某些较为合理的取值上）。所以，组合型的激励性奖惩措施可以对安全监管模型的行为策略选择的不稳定性进行优化和控制。

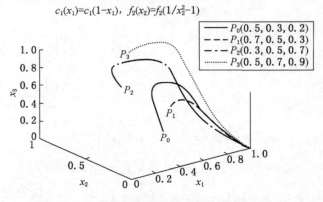

图 8-9　激励性奖惩机制下博弈动力系统相位图

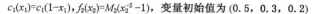

$c_1(x_1)=c_1(1-x_1)$，$f_2(x_2)=M_2(x_2^{-2}-1)$，变量初始值为 (0.5，0.3，0.2)

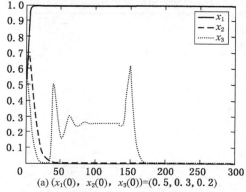

(a) $(x_1(0)$，$x_2(0)$，$x_3(0))=(0.5, 0.3, 0.2)$

$c_1(x_1)=c_1(1-x_1)$，$f_2(x_2)=M_2(x_2^{-2}-1)$，变量初始值为 (0.7，0.5，0.3)

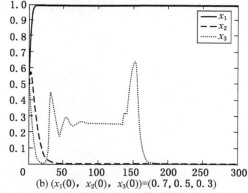

(b) $(x_1(0)$，$x_2(0)$，$x_3(0))=(0.7, 0.5, 0.3)$

$c_1(x_1)=c_1(1-x_1)$，$f_2(x_2)=M_2(x_2^{-2}-1)$，变量初始值为 (0.3，0.5，0.7)

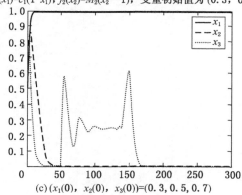

(c) $(x_1(0)$，$x_2(0)$，$x_3(0))=(0.3, 0.5, 0.7)$

$c_1(x_1)=c_1(1-x)$，$f_2(x_2)=M_2(x_2{}^2-1)$，变量初始值为 $(0.5，0.7，0.9)$

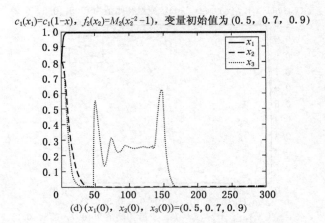

(d) $(x_1(0)，x_2(0)，x_3(0))=(0.5, 0.7, 0.9)$

图 8-10　激励性奖惩机制下参与人策略选择的时间序列图

9 煤矿生产安全管理制度及监管措施的调控

根据第 3 章煤矿安全利益相关群体的调查分析，第 5.3 节、第 5.4 节等部分针对煤矿安全监管模型中安全行为比例的强制性规定等方面的研究，以及第 8.2 节、第 8.4 节等部分针对煤矿安全监管模型中安全投入、安全成本和不安全行为的惩罚措施等内容的研究，本书主要从安全监管制度和安全管理措施等方面，尝试提出煤矿安全管理制度和监管措施的调控方法和策略。

9.1 煤矿生产安全管理制度和监管措施的调控节点

建立健全切实有效的煤矿生产安全管理制度，是提升安全管理水平的根本。根据调查分析发现，当前依然存在安全生产法规不全面、安全事故成本过低、安全执法不严格等安全生产制度制定与执行上的漏洞。因此，作者从煤矿安监部门煤矿企业、一线生产工人等三个层面，找到煤矿生产安全管理制度和监管措施的调控节点（图 9-1），并依此提出煤矿生产安全管理制度和监管措施的调控策略建议。

1. 煤矿安监部门层面

（1）安全法规待完善，有些煤矿行业规定不合理、不切实际。

安全是当前国民经济发展中的一件大事，在煤矿生产管理中更是重中之重。煤矿安全生产使用的法律法规有不少，《中华人民共和国安全生产法》《中华人民共和国煤炭法》《矿山安全法》《劳动法》《矿产资源法》《煤矿安全监察条例》《煤炭生产许可

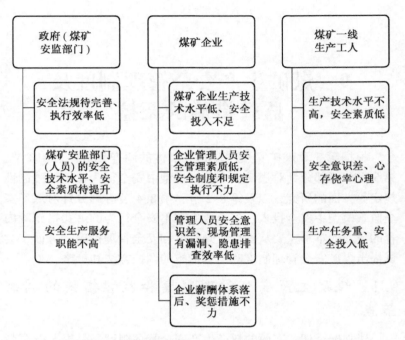

图9-1　煤矿生产安全管理制度与措施的调控节点

证管理办法》等。近年来，煤矿生产相关的安全制度和法规进行了多次的修订和完善，煤矿安全生产状况得到了很大的改善。但由于党和国家对煤矿安全提出了更高的目标和要求，相关安全法规的完善和落实工作，依然任重道远。

2014年修订的《安全生产法》第四章（安全生产的监督管理）部分的某些具体规定，过于政策性、计划性，可操作性也有待于进一步提高。例如对于大型国企的惩罚措施主要是对负有领导的责任人进行"降级、撤职"等行政处罚，对于中小型企业的处罚措施主要是罚款，奖惩力度在实际执行中合理性、可操作性有待于加强。在2015年新修订的《安全生产违法行为行政处罚办法》中，大致规定出每项违章行为处罚的上限和下限，然后根据违章情节的严重程度，主观判定对违法单位的处罚力度；针对具体工作人员则是规定每次违章行为的罚款额度，按违法行为次数累计得出罚款额度。因此安全生产、安全监察中的违法行为处罚办法有待于进一步动态化。

（2）煤矿安监部门（人员）的安全技术水平、安全素质待提升。

生产安全管理工作是技术性与专业性很强的工作，必须具备丰富的专业知识，熟悉政府制定的各项安全法规、监管措施以及相关的管理知识。煤矿安监部门工作人员学历水平整体上还有待提高（专科及以下学历大约占50%），而且其中仅有36%的工作人员具有煤矿企业工作经验。执法人员不具备基本的煤矿安全生产知识，走马观花，甚至乱指挥现象时有发生。由于监管人员安全素质不足，安全制度执行不到位，不能有效的实施监察，造成煤矿企业对政府监管工作不重视、应付了事。

2017年2月14日1时37分左右，湖南省娄底市祖保煤矿发生一起10人死亡，2人受伤的重大煤尘爆炸事故。事故发生后，该煤矿未如实上报伤亡情况，采用冒名顶替、弄虚作假方式，瞒报1名遇难人员。根据湖南省政府事故调查组通报，该煤矿存在企业领导法治意识淡薄、肆意妄为，有关地方政府和监管部门监管不力，驻矿盯守制度形同虚设，企业现场安全管理混乱，节后复工复产工作走过场等问题。煤矿顶风违法违规组织生产，地方政府及相关职能部门失职失责、漏管失控。

（3）政府需进一步提升对安全生产的服务职能。

综合监管是《安全生产法》赋予安全生产监管部门的一项重要职能，很多地方政府在实施过程中忽视了其对安全生产的服务职能。新修订的《安全生产法》中第十一条规定：各级人民政府及其有关部门应当采取多种形式，加强对有关安全生产的法律、法规和安全生产知识的宣传，增强全社会的安全生产意识；第十二条、第十三条中对安全生产相关的协会组织、服务机构的职能进行了规定。安监总局（国家安全生产监督管理总局）负责组织、指导全国安全生产宣传教育工作，负责安全生产监督管理人员、煤矿安全监察人员的安全培训和考核工作，拟订安全生产科技规划，组织、指导安全生产重大科学技术研究和技术示范工作。

要加快构建安全生产社会化服务体系，转变政府的监管职能。坚持政策引导，市场运作，坚持公益性与经营性服务相结合，搭建服务平台，规范服务行为，为煤矿企业的安全生产提供专业技术、安全管理，教育培训等社会化服务，充分发挥各服务机构的作用，提升生产安全水平。

2. 煤矿生产企业（管理人员）

（1）煤矿企业生产技术水平低、安全投入不足。

如果煤矿企业的建设工程质量达标，生产设备、安全装备先进，安全生产状况一般来讲就很好。许多中小型煤矿企业由于生产经营环境差、经费不足等原因，忽视生产安全必需的设备投入、技术投入、人员投入等保障条件。安全投入不足，技术与装备落后，难以适应危险源监控预警、灾害防治和事故应急救援的需求。还有一些企业在短时间内扩大生产规模和效益的同时，没有及时增加相应的安全投入，也可能造成安全保障不力。陈旧落后的技术装备、生产技术不高的生产人员、安全素养不足的管理工作人员等都容易引起安全事故的发生。

2017 年 3 月 9 日，龙煤集团双鸭山矿业公司东荣二矿发生一起死亡 17 人的重大事故，事故原因是副立井电缆着火，由于没有安装防坠器，造成罐笼坠落，最终罐笼内被困人员全部遇难。

（2）企业管理人员安全管理素质不高，安全生产制度执行不力。

2018 年，按照《国家煤矿安监局关于开展煤矿安全培训整治 推进煤矿从业人员素质提升的通知》（煤安监行管〔2018〕6号）和《国家煤矿安全监察局关于印发 2018 年"一通三防"等5 个专项监察方案的通知》（煤安监监察〔2018〕3 号）要求，各地煤矿安全培训主管部门和驻地煤矿安全监察机构对煤矿安全培训工作进行了监督检查。通过对煤矿矿长、安全生产管理人员

190

随机抽考，总共发现有 435 名矿长、副矿长抽考不合格、占抽考总数的 7%。另外，在一些煤矿企业中，领导的管理素质低，管理能力不足，甚至依然存在严重的官僚主义和形式主义，无法正确处理安全与生产、安全与效益、安全与改革的关系，对煤矿培训整治工作不安排、不部署。如果煤矿企业管理者缺乏必要的安全生产知识和安全技术，则必定存在管理方式陈旧、管理方法落后等现象，极大地制约着煤矿生产安全管理水平的提高和安全管理工作的执行效率。

2013 年 3 月 29 日和 4 月 1 日，位于吉林省白山市江源区的通化矿业（集团）有限责任公司八宝煤矿连续发生两起瓦斯事故，共造成 35 人死亡，16 人受伤，11 人失踪。作为一家大型国有企业，八宝煤矿员工 3500 多人，核定年生产能力 300 万吨，具有现代化的硬件设施和高效、安全的管理运营模式，在当地长期受到好评。两起瓦斯事故给八宝煤矿造成重创，伤亡人员包括通化矿业（集团）公司的总工程师等许多核心领导和技术人员。由于长期安全状况良好，企业领导思想麻痹，相关人员技术水平强但管理素质不足，事故发生时该煤矿没有按照相关安全生产制度和规定进行事故处理，不请示上级擅自行动，急于"保矿"，结果造成相继发生重大事故。

（3）现场管理漏洞多，隐患排除不力。

煤矿安全的最直接保障来自现场管理。当前许多煤矿企业存在基层监管有漏洞，有些生产环节检查频率高，而位置偏路线远的作业点管理人员涉足较少。而且，由于某些企业安全投入过低，煤矿生产过程中的隐患无力彻底排除，现场管理检查人员对于安全事故隐患更是熟视无睹、漠然视之。一旦存在现场监管的"死角"，煤矿生产安全很难得到保障，事故发生只是时间的问题。

2019 年 4 月 17 日，国家煤矿安全监察局在川煤集团芙蓉公司杉木树煤矿进行安全检查时发现，N2612 采煤工作面上隅角瓦斯浓度高达 5%，处于爆炸界限，幸好检查人员及时发现，果断断电迅速撤出，避免了一起重大瓦斯事故的发生（入井检查人员和工作面作业人员共有 26 人）。该次瓦斯涉险事故充分暴露出该煤矿企业安全意识淡漠，麻木不仁，屡教屡犯。芙蓉公司通风安全负责人没有起码的瓦斯安全意识，煤矿领导明知工作面瓦斯严重超限，也没有采取措施，不仅不停产，还贸然带领煤监局领导和检查组人员进入工作面检查，影响极为恶劣。

（4）煤矿企业职工薪酬体系有待完善。

当前煤炭生产企业职工薪酬分配体系中，依然存在内部收入分配平均主义倾向严重、内部收入分配关系不合理等现象，这在一定程度上影响煤炭生产企业安全监管的效率和安全管理的水平。变动薪酬能够避免平均主义引发的煤炭生产企业安全意识差、安全投入不足等不良现象，激励员工主动提高生产安全行为的选择，加大安全生产投入，提高安全生产效率。

3. 一线工作人员（安全检查人员、生产工人）

1）煤矿生产人员素质不高

煤矿一线生产工人的整体素质偏低，如教育水平低、技术性差等，是导致国内煤矿安全事故频发的重要原因。我国煤矿地质条件复杂，地质结构差异性大，煤矿设备更新换代速度很快，这些都要求生产工人提高自身的安全知识和技术水平，以应对可能出现的安全生产突发事故。有些煤矿一线生产工人大多只有初中及以下文化程度，且煤矿劳动用工管理不规范，安全培训教育不到位，从业人员缺乏基本的安全操作及防护知识，违反操作规程或劳动纪律现象频发。还有一些私营煤矿企业工人流动性大，安全管理工作更是难上加难。

2）煤矿安全意识淡薄、心存侥幸

有些一线生产工人也存在注重完成工作任务，心存侥幸心理、从众心理，缺少安全意识，这些是工人出现违章行为的重要原因。另外，由于部分企业管理人员重视经济效益，安全意识不足，管理粗放，极易造成工人不服管理，存在抵触情绪。不论管理人员还是生产人员，一旦安全意识不足，极易导致安全事故的频繁发生。

3）生产任务重、安全行为不规范

许多一线生产人员只注重工作任务的完成，以便提前升井，而忽略了安全行为规范。有些煤矿企业特别是中小型煤矿企业为了降低成本，减少人员编制，忽略工人的正常休假和轮休，出勤混乱，纪律散漫，违规现象时有发生。

一线生产工人的安全行为规范至少应该包括技术上、时间上、精力上等很多方面，例如平时的不断学习提高自身教育水平，积极参加安全生产技术知识学习培训以及班前会班后会等经验总结活动，还有安全行为习惯养成、增强安全意识等。

9.2 煤矿生产安全管理相关政策建议

依据前面章节的研究结论，本书针对煤矿生产安全管理提出如下政策建议：

1. 政府（安全监察机构）方面

（1）进一步完善安全监管制度，制定合理有效的煤矿安全监管制度中的约束措施。

一方面，要进一步完善煤矿安全监察条例、煤矿建设项目安全设施监察规定、煤矿安全监察行政处罚办法、煤矿安全监察罚款管理办法等煤矿安全立法工作，对相关的规定条例进行进一步的论证，提高煤矿生产安全管理制度的执行效果。

各级领导和各业务部门定期下井检查制度、区队 24 小时领导值班制度、盯岗制度、手指口述交接班制度、抓"三违"目标管理制度、各专业的基础安全管理制度等等，将每一个制度落实情况和实际效果纳入安全考核内容，让每一个安全管理制度发挥应有的作用。通过制定政策性和行业规定性的安全监管行为和策略的约束措施，对包括企业内部外部的安全监督检查部门的监督策略进行强制规定。

（2）煤炭行业大力推广激励性薪酬制度。

由于煤炭行业的特殊性，安全生产在煤炭生产企业的各项工作中都是重中之重。因此，要在煤炭行业特别是国有大中型煤炭生产企业中大力推广激励性薪酬制度，就是要提高薪酬结构中变动薪酬的比例，要用安全绩效考核来实现变动薪酬。采用岗位绩效工资制、全年无事故年终奖励等多种方式，提高职工收入与其安全生产效率、安全行为等的关联性。在煤矿企业中建立和健全激励性薪酬制度，提高变动薪酬在职工薪酬结构中的比例，逐步完善煤矿行业中生产安全的岗位评价体系和安全绩效考核体系，引导煤矿企业职工从自身出发，加强安全生产技术的提高和安全生产能力的发挥。

（3）组织建立良好的煤矿企业文化氛围和组织环境。

煤矿生产与管理相关人员的行为必定会受到各种群体文化和组织行为的影响。企业文化是员工形成组织认同感和组织忠诚意识的关键，是企业核心竞争力的重要组成部分。良好的企业文化和组织环境能够对员工的组织行为产生很好的导向性，使得员工之间在长期的安全生产与管理中不断的相互学习和改进，并且能够潜移默化的引导煤矿企业员工端正工作态度、提高工作积极性与选择安全行为的意愿，从源头上避免和减少煤矿安全事故的人为致因。

加强安全思想宣传教育，在提高思想认识上下功夫。根据煤矿企业生产和安全管理的实际情况，本书认为煤矿企业文化的建设主要应该从如下三个方面入手：一是煤矿企业的制度文化；二是煤矿企业的行为文化；三是煤矿企业的创新文化。

煤矿企业的制度文化是煤矿企业文化的中心。煤炭生产既关乎国计民生又安全重于一切，各级政府和煤炭行业内部都设立了煤矿生产与安全管理的制度和措施。煤矿企业要通过制订政策、加强管理、开展教育等方式将安全管理制度内化于心。所有的企业生产与管理行为要与相关安全制度和法规保持一致。在现实中，煤矿企业在政策法规的落实阶段时常掺入了人际关系、人情关系等权责不清的管理模式，造成有法不依、违规操作等恶劣现象的出现。

煤矿企业的行为文化是煤矿企业制度文化的外化。要通过长期不间断的对企业员工开展企业文化宣传和学习培训，培养企业员工的组织认同感和主人翁意识，使得企业发展同员工的个人价值观产生协同效应。良好的企业行为文化将煤矿企业的安全生产目标与员工行为紧密联系起来，形成企业员工的行为指南和意识形态。

煤矿企业的创新文化是煤矿企业发展的动力。在新时代，特别是社会经济快速发展而安全形势不容乐观的局面下，煤矿企业要不断进行生产技术创新、管理方法创新与管理理念创新。在煤矿企业中建立良好的创新文化氛围，通过不断的学习和探索，挖掘潜力改进不足，推动煤矿生产安全管理的不断进步。

2. 煤矿企业（管理人员）方面

（1）引进高素质高层次的生产安全管理人才。

煤矿生产和安全管理涉及安全监管人员、生产管理人员与生产技术人员等方面的人才队伍建设。除了要长期展开的职工安全知识学习和培训工作，煤矿企业可以针对安全生产和管理中的薄弱环节，引入高素质的生产技术人才、安全管理人才甚至是复合型高层次人才。人才引进可以短期内迅速改善煤矿生产管理人员的综合素质，提高煤矿生产和安全管理的技术和水平。

（2）建立健全煤矿安全系统中不安全行为的动态惩罚机制。

惩罚措施是煤矿生产安全管理的重要组成部分。煤矿生产安全管理中针对煤矿人员出现不安全行为的惩罚措施的作用非常重要。通过本书的研究可见，基于不安全行为出现频率的动态惩罚机制更能够体现安全管理中松紧结合的管理方式。相对静态惩罚措施来讲，动态的惩罚机制能更紧密联系到煤矿安全行为的出现机会，更能够保障煤炭行业安全生产的运行稳定性。

动态性的惩罚机制将参与人出现不安全行为可能会收到的惩罚与其"犯错误"的频率关联起来，犯错误的频率越大，相应的惩罚力度就会更大。动态性的惩罚机制可以显著降低煤矿安全监管中不安全行为的动态性，提高安全监管的效率，同时保障安全监管制度和措施的平稳性和可控性。煤矿企业可以根据自身生产和安全管理的实际情况进行动态性惩罚机制的设计。从本书研究结论来看，惩罚指数与不安全行为出现频率之间存在 $f(x) = M\left(\dfrac{1}{x^2}-1\right)$ 形式的函数关系就是一个不错的选择。

（3）适度提高政策性补贴和企业职工福利。

在煤炭生产企业经济效益有保障的前提下，适度提高煤矿安全监管相关各方的政策性补贴和煤炭生产企业员工的福利水平，这在一定意义上就是降低利益相关者群体的安全投入成本，促进参与人加大对生产的投入，推动煤炭生产企业安全生产和安全管理等工作在较高水平上运行。

需要指出的是，所谓的补贴和员工福利并不一定局限在经济层面。一方面，对于企业普通员工，特别是工作在生产一线的采煤工人，企业要加大投入定期开展安全知识培训和安全技能的演练等活动，以提高职工的安全素质和安全意识，抑制不安全行为出现的概率。另一方面，对于企业安全管理人员和煤矿安监部门的工作人员，也要定期或者不定期地开展相关的安全技能和安全管理知识的学习，以提高安全管理水平，保障安全监管政策和措施执行的效率。

（4）保障对安全监管中不安全行为的惩罚力度。

在煤炭开采这一高危行业中，特别是近些年来煤炭行业经济效益普遍不高的情况下，惩罚措施是非常重要的安全管理方法和手段。本书研究结论也表明，在煤矿安全监管中只有保证了对不安全行为的惩罚力度，才能保障煤炭生产企业生产安全监管的效率和整个煤炭行业的安全管理水平。

3. 煤矿企业一线生产人员方面

（1）加强安全知识与安全技能的培训。

煤矿生产安全管理的主体和客体都是人，只有大力提高煤矿生产与管理相关人员的安全知识、安全技能水平等各方面综合素质，才能改善煤矿安全生产形势。安全培训在改善煤炭生产人员和管理人员的安全意识和安全行为的选择习惯等方面具有重要作用。

通过煤矿安全事故原因的分析发现，管理人员安全知识匮乏导致盲目指挥，生产工人安全意识差、安全技能不足造成操作违规、不达标等人为因素是大多数煤矿安全生产事故发生的直接原因。所以，加强对生产工人的安全知识和安全技能的培训，是提高安全管理水平的重要措施和有效途径。当然，煤矿职工安全培训工作也不能局限于专家授课、课堂讲座等传统形式，还要结合煤矿企业的日常安全宣传、数字媒体可视化以及网络教学等多种形式和渠道展开。

（2）坚持从基层班组抓好安全思想宣传教育工作。

班组是煤矿企业的细胞，是安全生产的第一线，也是煤矿安全的直接受益者。要确保煤矿企业的生产安全，班组作用直接，责任重大。生产班组必须把安全思想教育、安全意识以及安全习惯落实到每一位成员。班组长是班组的直接负责人，也是生产安全工作的核心，具体的安全思想教育工作要由班组长去组织和实施。班组长素质的高低，直接影响到班组安全思想教育的质量。因此，煤矿企业要在认真配备班组长的基础上，还要长期对他们进行重点培训，提高他们从事班组生产管理和安全思想宣传、安全教育工作的能力。

（3）建立和完善有奖举报制度。

煤矿安全生产责任重大，时刻不能马虎，要齐抓共管，群策群力。在生产工人素质较高、生产技术水平以及安全技术水平较高的煤矿企业，特别是国有大中型煤炭生产企业内部，可以号召广大一线生产工人能够自发（严于律己、相互监督）对自身的生产安全行为进行自我约束，以提高煤炭生产企业整体的安全生产水平和安全管理水平。

安全管理也要走群众路线，欢迎群众的监督。《安全生产法》中也规定任何单位或者个人对事故隐患或者安全生产违法行为，均有权向负有安全生产监督管理职责的部门报告或者举报。

在实践中，生产工人之间的相互监督作用，是最及时的也是最有效的。我们要将政策法规同企业运营实践结合起来，推行安全事故隐患以及不安全行为的有奖举报制度。

9.3 研究展望

本书建立煤矿生产安全管理中的多方博弈模型，进行了动力系统稳定性分析和模拟求解，研究了博弈行为稳定性的影响因素，以寻求控制博弈行为动态性的方法。作者认为，相关内容至少有如下几个方面值得进一步研究：

（1）多方博弈模型是解决煤矿安全系统中多方利益相关者互动关系的关键方法，其建模与求解过程中可以进一步考虑煤炭生产实际中利益相关者之间存在的非对等博弈、博弈次序等问题。

（2）本书在多方博弈模型的求解过程中，假设模型参数 θ_i（不安全行为检出率）取特殊值 $\theta_1 = 0$；$\theta_i = 1$，$i = 2$，3，$\cdots$，n，后续研究中可以考虑模型参数取值变动时，对模型结论的影响。

（3）煤矿生产事故往往会产生极大社会影响，后续研究可以考虑从社会影响力、声誉等非经济效益角度建立博弈模型，对重特大煤矿生产事故发生的原因进行机理分析，寻找其控制方法。

附　　录

附录1　煤矿安全相关主体调查问卷

煤矿安全相关主体调查问卷（1）

调查对象：国家管理机关工作人员

尊敬的各位领导：

　　根据相关研究工作需要，需要对国家煤矿安全监督检查工作人员进行问卷调查，调查的内容主要是不同人员对煤矿安全生产工作的认识，以便进一步改进煤矿生产安全管理工作。本次调查采用匿名方式进行，我们将严格遵守抽样调查所涉及的保密工作，请您在百忙之中务必认真填写相关内容（选择题请直接勾选您的答案，需要进行说明和阐述的请在题后空白处填写，您的答案将成为我们课题组研究类似问题的重要依据）。非常感谢您给予的帮助和支持。

　　谢谢！

　　1. 您的性别是：

　　○男；○女。

　　2. 您的年龄是：

30 岁以下；31~40 岁；○41~50 岁；○50 岁以上。

　　3. 您从事煤矿安全监督检查的时间是（不含在企业的工作时间）：

　　○少于 5 年；○5~10 年；○11~20 年；○21 年以上。

　　4. 在从事政府管理机关工作前，您是否有企业工作经验。

○是；○否。

5. 您的受教育程度是：

○本科及以下；○本科以上。

6. 您现在的工作是：

○安全管理技术人员；○安全检查人员；○安全检查管理人员；○一般工作人员；○其他。

以上属于基本情况调查，下面的调查问卷主要是您对煤矿安全工作的看法。

7. 您认为煤矿安全生产存在的主要问题是什么？（可以多选）

□ 生产技术相对落后；□ 安全生产法规不全面；□ 执法检查不严格；□ 安全事故成本过低；□ 企业管理者安全意识不足；□ 产业工人的整体素质偏低。

如果您认为还有其他方面，敬请您在下面填写：

_____

8. 您认为安全生产检查的主要职责是：（可以多选）

□ 检查企业及各级政府贯彻落实法律法规的情况；□ 检查煤矿安全隐患及处置情况；□ 对安全事故进行分析，并提出处理意见；□ 检查安全管理疏漏；□ 提出安全管理整改意见。

如果您认为还有其他方面，敬请您在下面填写：

_____

9. 您认为目前我国煤矿总体安全生产状况如何？

○很好；○比较好；○一般；○比较差；○很差。

10. 您在进行安全检查时，被检查对象的配合程度如何？

○非常配合；○比较配合；○不太配合；○很不配合；○表面上配合，实际抵触情绪较大；○表面上配合，实际抵触情绪很大。

11. 您认为国家煤矿安监部门与企业之间的关系是（可以多选）：

□ 利益完全一致；□ 利益既有一致，又相互矛盾；□ 矛盾大于一致；□ 双方是完全的利益冲突者。

12. 您认为国家煤矿安监部门与企业所在地方政府的关系是：

□ 利益完全一致；□ 利益既有一致，又相互矛盾；□ 矛盾大于一致；□ 双方是完全的利益冲突者。

13. 您认为目前我国煤矿安全监察管理体制的合理性如何？

□ 非常合理；□ 比较合理；□ 不太合理；□ 完全不合理，要重新检讨。

14. 您的工作压力如何？

○ 非常大；○比较大；○一般；○没有什么压力。

15. 您对我国煤矿安全监察管理体制有什么建议？

_____

_____

注：本次调查属于匿名调查，恳请您一定认真填写，实事求是，我们保证将对每个人的填写情况予以保密。谢谢您的合作！

煤矿安全相关主体调查问卷（2）

<u>调查对象：企业集团安全管理人员</u>

尊敬的各位领导：

根据相关研究工作需要，需要对企业集团安全监督检查工作人员进行问卷调查，调查的内容主要是不同人员对煤矿安全生产工作的认识，以便进一步改进煤矿生产安全管理工作。本次调查采用匿名方式进行，我们将严格遵守抽样调查所涉及的保密工作，请您在百忙之中务必认真填写相关内容（选择题请直接勾选您的答案，需要进行说明和阐述的请在题后空白处填写，您的答案将成为我们课题组研究类似问题的重要依据）。非常感谢您给予的帮助和支持。

谢谢！

1. 您所学的专业是：
○与煤矿生产和安全有关；○与煤矿生产和安全无关。

2. 您的年龄是：
○25 岁以下；○26～35 岁；○36～45 岁；○45 岁以上。

3. 您从事煤矿安全监督检查的时间是（不含在基层煤矿的工作时间）：
○少于 5 年；○5～10 年；○11～20 年；○21 年以上。

4. 在从事集团公司安全检查工作前，您是否有企业工作经验。
○是；○否。

5. 您的受教育程度是：
○本科及以下；○本科以上。

6. 您现在的工作是：
○安全管理技术人员；○安全检查人员；○安全检查管理人员；○一般工作人员；○其他。

以上属于基本情况调查，下面的调查问卷主要是您对煤矿安全工作的看法。

7. 您认为煤矿安全生产存在的主要问题是什么（可以多选）？

□ 生产技术相对落后；□ 安全生产法规不全面；□ 执法检查不严格；□ 安全事故成本过低；□ 企业管理者安全意识不足；□ 产业工人的整体素质偏低。

如果您认为还有其他方面，敬请您在下面填写：

_____

8. 您认为企业集团安全检查的主要职责是：（可以多选）

□ 检查所属企业及各生产管理部门贯彻落实法律法规的情况；□ 检查落实上级有关安全生产指示落实情况；□ 检查煤矿安全隐患及处置情况；□ 对安全事故进行分析，并提出处理意见；□ 检查安全管理疏漏；□ 提出安全管理整改意见。

如果您认为还有其他方面，敬请您在下面填写：

_____

9. 您认为目前企业集团所属各矿井总体安全状况如何？

○很好；○比较好；○一般；○比较差；○很差。

10. 您在进行安全检查时，被检查对象的配合程度如何？

○非常配合；○比较配合；○不太配合；○很不配合；○表面上配合，实际抵触情绪较大；○表面上配合，实际抵触情绪很大。

11. 您认为国家煤矿安监部门与企业集团之间的关系是（可以多选）：

□ 利益完全一致；□ 利益既有一致，又相互矛盾；□ 矛盾大于一致；□ 双方是完全的利益冲突者。

12. 您认为国家煤矿安监部门在集团公司检查工作时的做法如何？

○完全从企业的实际出发进行检查；○检查时利益既有一致，又相互矛盾；○矛盾大于一致；○双方是完全的利益冲突者。

13. 您认为地方政府在煤矿安全生产检查时做法如何？（可以多选）

□ 基本不进行安全检查；□ 虽然有检查，只是走过场；□ 没有对煤矿安全生产起到促进作用；□ 对煤矿安全生产的促进作用不大；□ 对煤矿安全生产有较大的促进作用；□ 对煤矿安全生产有很大的促进作用。

14. 您认为目前我国煤矿安全生产的法律法规是否健全？

○非常健全；○比较健全；○虽然健全，但内容需要调整；○不健全，要重新检讨。

15. 您认为目前我国煤矿安全监察管理体制的合理性如何？

○非常合理；○比较合理；○不太合理；○完全不合理，要重新检讨。

16. 您的工作压力如何？

○非常大；○比较大；○一般；○没有什么压力。

17. 您对我国煤矿安全监察管理体制有什么建议？

_____

_____

注：本次调查属于匿名调查，恳请您一定认真填写，实事求是，我们保证将对每个人的填写情况予以保密。谢谢您的合作！

煤矿安全相关主体调查问卷 (3)

调查对象：煤矿安全生产检查人员

尊敬的各位领导：

　　根据相关研究工作需要，需要对煤矿安全监督检查工作人员进行问卷调查，调查的内容主要是不同人员对煤矿安全生产工作的认识，以便进一步改进煤矿生产安全管理工作。本次调查采用匿名方式进行，我们将严格遵守抽样调查所涉及的保密工作，请您在百忙之中务必认真填写相关内容（选择题请直接勾选您的答案，需要进行说明和阐述的请在题后的空白处填写，您的答案将成为我们课题组研究类似问题的重要依据）。非常感谢您给予的帮助和支持。

　　谢谢！

　　1. 您所学的专业是：

　　○与煤矿生产和安全有关；○与煤矿生产和安全无关。

　　2. 您的年龄是：

　　○25 岁以下；　○26 ~ 35 岁；　○36 ~ 45 岁；　○45 岁以上。

　　3. 您从事煤矿安全监督检查的时间是（不含在企业的工作时间）：

　　○少于 5 年；　○5 ~ 10 年；　○11 ~ 20 年；　○21 年以上。

　　4. 在从事企业安全检查工作前，您是否有企业工作经验。

　　○是；○否。

　　5. 您的受教育程度是：

　　○本科及以下；○本科以上。

　　6. 您现在的工作是：

　　○安全管理技术人员；○安全检查人员；○安全检查管理人员；○一般工作人员；○其他。

　　以上属于基本情况调查，下面的调查问卷主要是您对煤矿安全生产工作的看法。

7. 您认为煤矿安全生产存在的主要问题是什么（可以多选）？

□ 生产技术相对落后；□ 安全生产法规不全面；□ 执法检查不严格；□ 安全事故成本过低；□ 企业管理者安全意识不足；□ 产业工人的整体素质偏低。

如果您认为还有其他方面，敬请您在下面填写：

_____

8. 您认为煤矿安全检查的主要职责是：（可以多选）

□ 检查企业各部门贯彻落实安全法规及操作规程的情况；□ 检查煤矿安全隐患及处置情况；□ 对安全事故进行分析，并提出处理意见；□ 检查企业员工"三违"情况；□ 制定企业安全管理措施；□ 提出安全管理整改意见。

如果您认为还有其他方面，敬请您在下面填写：

_____

9. 您认为目前企业的总体安全状况如何？

○很好；○比较好；○一般；○比较差；○很差。

10. 您在进行安全检查时，被检查对象的配合程度如何？

○非常配合；○比较配合；○不太配合；○很不配合；○表面上配合，实际抵触情绪较大；○表面上配合，实际抵触情绪很大。

11. 您认为企业安全检查部门与被检查部门及员工之间的关系是（可以多选）：

□ 利益完全一致；□ 利益既有一致，又相互矛盾；□ 矛盾大于一致；□ 部门领导的抵触性较小，员工的抵触性大；□ 部门领导的抵触性大，员工抵触性较小；□ 部门与员工的抵触性都大。

12. 您认为集团公司检查部门与企业安监部门的关系是：（5）

○利益完全一致；○利益既有一致，又相互矛盾；○矛盾大于一致；○集团公司的检查对企业的安全生产有一定的指导作用；○集团公司的检查对企业的安全生产指导作用不大。

13. 您认为企业领导在处理生产与安全的关系时，其态度：

○生产为主，安全为辅；○生产与安全并重；○把安全放在第一位；○只有在出现安全事故时，才比较重视安全生产。

14. 您认为本企业安监部门在企业的重要性程度是：

○处在极为重要的地位，拥有绝对权力；○名义上重要，实际权力不大；○处于比较合理的地位；○出现事故后重要，时间长了地位下降。

15. 您认为本企业安全检查队伍的水平是：

○队伍整体素质很高，具有很好的控制力；○队伍整体素质一般，能满足安全管理的需要；○队伍整体素质较差，难以适应工作需要。

16. 您认为本企业安全检查人员需要提高的方面是：（可以多选）

□ 安全管理知识；□ 安全检查技巧；□ 与生产员工的沟通能力；□ 安全生产责任心；□ 安全队伍的凝聚力；□ 企业主要领导的支持力度。

17. 您的工作压力如何？

○非常大；○比较大；○一般；○没有什么压力。

18. 您对企业安全监察管理体制有什么建议？

_____

_____

注：本次调查属于匿名调查，恳请您一定认真填写，实事求是，我们保证将对每个人的填写情况予以保密。谢谢您的合作！

煤矿安全相关主体调查问卷（4）

调查对象：煤矿一线生产主管与员工

尊敬的各位领导、各位师傅：

根据相关研究工作需要，需要对煤矿一线生产的管理人员与生产工人进行问卷调查，调查的内容主要是不同人员对煤矿安全工作的认识，以便进一步改进煤矿生产安全管理工作。本次调查采用匿名方式进行，我们将严格遵守抽样调查所涉及的保密工作，请您在百忙之中务必认真填写相关内容（选择题请直接勾选您的答案，需要进行说明和阐述的请在题后的空白处填写，您的答案将成为我们课题组研究类似问题的重要依据）。非常感谢您给予的帮助和支持。

谢谢！

1. 您所从事的工作性质是：
○煤矿采掘一线员工；○煤矿井下辅助人员；○煤矿井下其他岗位员工；○煤矿井下管理人员。

2. 您的年龄是：
○25 岁以下；○26 ~ 35 岁；○36 ~ 45 岁；○45 岁以上。

3. 您从事煤矿井下工作的时间是（不含在非煤矿企业的工作时间）：
○少于 5 年；○5 ~ 10 年；○11 ~ 20 年；○21 年以上。

4. 您的用工性质是：
○合同制人员；○非合同制人员。

5. 您的受教育程度是：
○初中及以下；○高中毕业；○技校毕业；○专科毕业；○本科毕业；○研究生毕业（含博士及硕士）。

6. 您的家庭及亲属是否有从事煤矿工作的人员：
○有；○没有。

7. 您的家属及子女是否在煤矿上居住？

○是；○否。

以上属于基本情况调查，下面的调查问卷主要是您对煤矿安全工作的看法。

8. 您认为煤矿安全生产工作的重要性程度如何？

○非常重要；○重要；○一般；○与生产相比应居于次要位置。

9. 您认为煤矿安全生产存在的主要问题是什么？（可以多选）（6）

□生产技术相对落后；□安全生产法规不全面；□执法检查不严格；□执法检查过于严格，从而造成抵触情绪；□井下工作时间过长，工人疲劳；□管理者管理粗放，工人不服管理。

如果您认为还有其他方面，敬请您在下面填写：

_____

10. 您认为工人出现违章的主要原因是什么（可以多选）：

□希望早点干完工作，以便提前升井；□以为没有检查人员，存在侥幸心理；□别人都这么做，我也这么做；□只注重工作，缺少安全意识；□工人不知道这是违章；□受别人指使，因此出现违章。

如果您认为还有其他方面，敬请您在下面填写：

_____

11. 您的家人在您上班前，有没有给您安全提示？

○经常提示；○偶尔提示；○一般不提示；○根本不提示。

12. 区队领导在班前会上讲安全多？还是讲工作多？

○根本不开班前会；○工作也讲，安全也讲；○讲工作多，讲安全少；○只讲工作，不讲安全；○不管讲什么，都是老一套；○讲的什么，本人不太清楚。

13. 您在工作中，领导是否经常提醒您有关安全事项？

○每件事都提醒；○经常提醒；○一般不提醒；○根本不提醒。

14. 您在工作中，同事是否提醒您有关安全注意事项？

○每件事都提醒；○经常提醒；○一般不提醒；○根本不提醒。

15. 您认为安全检查人员的素质怎么样？

○素质很高；○素质比较高；○素质一般；○什么都不懂，只知道罚款。

16. 您认为本企业安全管理制度是否健全？

○很健全；○比较健全；○一般情况；○制度不健全，领导说了算。

17. 您认为本企业安全管理制度是否过于严格？

○过于严厉；○严厉程度适中；○不太严厉；○说不清楚。

18. 当工作中安全生产与工作进度出现矛盾时，您的做法是：

○先把安全隐患排除，才能工作；○在工作中，注意安全；○专门有人负责安全，同时在工作；○领导让怎么干，就怎么干；○出事的可能性很小，所以先保证工作进度。

19. 您的工作压力如何？

○非常大；○比较大；○一般；○没有什么压力。

20. 您对企业安全管理有什么建议？

_____

_____

注：本次调查属于匿名调查，恳请您一定认真填写，实事求是，我们保证将对每个人的填写情况予以保密。谢谢您的合作！

附录 2　算法与图形的 MATLAB 编码（选）

本书中模型求解与数值模拟部分中，涉及一些数值求解算法（ABM 预估修正算法）和相位图（phase diagraph）、时间序列图（TSG）等图形的绘制，在该附录中将其中一部分计算和画图的 MATLAB 代码分享给读者，以供验证和参考。

第 4 章　插图 MATLAB 代码（部分）

图 4-1　监管博弈层级网络图

```
% biograph 函数生成一个 bioinformatics 图对象。
cm = [ 0 0 0 0 0;1 0 0 0 0;1 1 0 0 0 ;1 1 1 0 0;1 1 1 1 0 ];% 图的邻接矩阵
IDS = '1','2','3','..','n';% 这条语句设置节点的序号名称。
bg = biograph( cm,IDS);% biograph 函数生成一个 bioinformatics 图对象。
set( bg. nodes,'shape','circle','color',[1,1,1],'lineColor',[0,0,0]);% 设置节点 color
% set( bg,'layoutType','radial');% 设置节点
% bg. showWeights = 'off';% 要不要显示权重？
set( bg. nodes,'textColor',[0,0,0],'lineWidth',1,'fontsize',9);
set( bg,'arrowSize',3,'edgeFontSize',3);% 设置箭头
get( bg. nodes,'position');% 设置节点位置
dolayout( bg);% 做布局
% <= = nodes do not have a position yet
bg. nodes(1). position = [0,00];% Manually modify the node position and recalculate the paths.
bg. nodes(2). position = [45,00];
bg. nodes(3). position = [75,20];
bg. nodes(4). position = [60,60];
bg. nodes(5). position = [15,75];
dolayout( bg,'PathsOnly',true)
view( bg);
```

图 4-2　三方监管博弈层级网络图

```
% 网络图
% 三层,博弈树
% % 安全监管博弈的三方博弈 树形 网络图
xy = [0,32,0,20];
axis(xy)
hold on
x1 = 2:4:30;
y1 = 0 * zeros(8,1);
plot(x1,y1,'o','MarkerFaceColor','g');text(16,19,'1');
x2 = 4:8:28;
y2 = 6 * ones(4,1);
plot(x2,y2,'o','MarkerFaceColor','g')
x3 = [8,24];
y3 = 12 * ones(1,2);
plot(x3,y3,'o','MarkerFaceColor','g')
text(12,16,'R');text(20,16,'NR');
text(4+0.5,8,'I');text(20+0.5,8,'I');text(11,8,'NI');text(27,8,'NI');
plot(16,18,'o')
line([8,16],[12,18]);line([24,16],[12,18]);plot([8,24],[12,12],'-. ');text(16,12,'2')
line([4,8],[6,12]);line([12,8],[6,12]);line([28,24],[6,12]);line([20,24],[6,12])
plot([4,28],[6,6],'-. ');text(16,6,'3')
line([2,4],[0,6]);line([6,4],[0,6]);line([14,12],[0,6]);line([10,12],[0,6]);line([18,20],[0,6]);line([22,20],[0,6]);line([26,28],[0,6]);line([30,28],[0,6]);
text(2,2,'S');text(10,2,'S');text(18,2,'S');text(26,2,'S');text(6-0.5,2,'NS');text(14-0.5,2,'NS');text(21.5,2,'NS');text(29.5,2,'NS');
hold off
axis off
```

第 5 章 插图 MATLAB 代码(部分)

图 5-1 三方博弈动力系统相位图

Step1 建立一个函数调用 M 文件 threeplayerxwt. m

```
Function dx = threeplayerxwt(t,x)
dx = zeros(3,1);
c1 = .5;c2 = 0.2;c3 = 0.3;A = 1;B = 1.2;
f1 = A;%% 动态惩罚指数
f2 = B;% 这一组取值
dx(1) = x(1) * (1-x(1)) * (x(2)+(1-x(2)) * x(3) * f1-c1);
dx(2) = x(2) * (1-x(2)) * ((1-x(1)) * (f1+x(3) * f2)-c2);
dx(3) = x(3) * (1-x(3)) * ((1-x(1)) * (1-x(2)) * (f1+f2)-c3);
```

Step2 调用 threeplayerxwt. m 文件 threeplayerxwt. m 并利用 ode45 函数求解并画图

```
% 调用了三人博弈复制子动态方程 M 文件 threeplayerxwt. m
% 3 人博弈模型复制子动态方程(Replicator Dynamics):
T = 300;
p3 = [0.50.70.9];p2 = [0.30.50.7];
p1 = [0.70.50.3];p0 = [0.50.30.2];p5 = [0.10.30.9];
% p0 = p1;
[T,X] = ode45('threeplayerxwt',[0 T],p0);% 4/5 阶龙哥-库塔-斐尔贝
格数值算法
[T,y] = ode45('threeplayerxwt',[0 T],p1);% 4/5 阶龙哥-库塔-斐尔贝
格数值算法
[T,z] = ode45('threeplayerxwt',[0 T],p2);% 4/5 阶龙哥-库塔-斐尔贝
格数值算法
[T,w] = ode45('threeplayerxwt',[0 T],p3);% 4/5 阶龙哥-库塔-斐尔贝
格数值算法
%% 画相位图
plot3(X(:,1),X(:,2),X(:,3),'r');holdon
plot3(y(:,1),y(:,2),y(:,3),'b');plot3(z(:,1),z(:,2),z(:,3),'c');plot3(w(:,1),w(:,2),w(:,3),'g');
legend('P_0(0.5,0.3,0.2)','P_1(0.7,0.5,0.3)')
```

```
legend('P_0(0.5,0.3,0.2)','P_1(0.7,0.5,0.3)','P_2(0.3,0.5,
0.7)','P_3(0.5,0.7,0.9)')
axis([0 1 0 1 0 1])% 坐标范围
text(p0(1),p0(2),p0(3)-.01,'P_0','fontSize',8);
text(p1(1),p1(2),p1(3)-.01,'P_1','fontSize',8);
text(p2(1),p2(2),p2(3)-.01,'P_2','fontSize',8);
text(p3(1),p3(2),p3(3)-.01,'P_3','fontSize',8);
xlabel('\it x_1');ylabel('\it x_2');zlabel('\it x_3')
```

图 5-2a 参与人策略选择概率 x_1,x_2,x_3 的时间序列图

```
% 调用了三人博弈复制子动态方程 M 文件 threeplayerxwt.m
T=300;
p0=[0.5 0.3 0.2];
[T,X]=ode45('threeplayerxwt',[0 T],p0);% 4/5 阶龙哥-库塔-斐尔贝
```
格数值算法
```
axis([0 T 0 1]) % 坐标范围
plot(T,X(:,1),'r',T,X(:,2),'b',T,X(:,3),'k');legend('x_1','x_
2','x_3')
title(['变量初始值为(',num2str(p0(1)),',',num2str(p0(2)),',',
num2str(p0(3)),')'])
```

图 5-4 动力系统相位图 ($x_3=c_1/f_1$)

```
% % x_3 取值为常数。
x_3=0.5;% 政府机构选择监督策略的概率取值为常数。
c_1=.5;c_2=0.2;f_1=1;f_2=1.2;
[x_1,x_2]=meshgrid(linspace(0,1,300));
xlabel('The probability of player I''s strategy selection \it  x_1'),ylabel('
The probability of player III''s strategy selection \it  x_2')
axis([0 1 0 1])% 坐标范围
% 画图动力系统相图
h=streamslice(x_1,x_2,x_1.*(1-x_1).*((x_2+(1-x_2)*x_3)*f_1-
c_1),x_2.*(1-x_2).*((1-x_1)*(f_1+x_3*f_2)-c_2));
x1=1-c_2/(f_1+x_3*f_2);x2=(c_1-x_3*f_1)/(1-x_3)/f_1;% 平衡
```
点(x1*,x2*)
```
hold on
```

214

line([0 1],[x2 x2],'linestyle','−','color','black');% 画水平直线
line([x1 x1],[0 1],'linestyle','−','color','black');% 画竖直直线
plot(x1,x2,' * ','color','red','MarkerSize',6);text(x1+0. 005,x2+0. 05,'
P(x_1^ * ,x_2^ *)','color','red','fontSize',12)% 标记平衡点
[x1,x2]% 输出平衡点

图 5-7　动力系统相位图($x_2 = c_1/f_1$)

%% 对煤矿企业安全管理部门监督策略进行约束

%% 对于博弈模型来讲就是将 x_2 取值为常数。

x_2=0. 5;%% 政府机构选择监督策略的概率取值为常数。c_1=.5;c_2=
0. 2;c_3=0. 3;f_1=1;f_2=1. 2;% 这一组取值

[x_1,x_3]=meshgrid(linspace(0,1,30));

xlabel('The probability of player I″s strategy selection \it x_1'),

ylabel('The probability of player III″s strategy selection \it x_3')

axis([0 1 0 1])% 坐标范围

h=streamslice(x_1,x_3,x_1. * (1-x_1). * ((x_2+(1-x_2) * x_2) * f_1-c_
1),x_3. * (1-x_3). * ((1-x_1) * (1-x_2) * (f_1+f_2)-c_3));

x1=1-c_3/(1-x_2)/(f_1+f_2),x3=(c_1-x_2 * f_1)/(1-x_2)/f_1;%
平衡点(x1 * ,x2 *)

hold on

line(,[x3x3],'linestyle','−','color','black');% 画水平直线

line([x1x1],,'linestyle','−','color','black');% 画竖直直线

plot(x1,x3,' * ','color','red','MarkerSize',6);

text(x1+0. 005,x3+0. 05,'P(x_1^ * ,x_3^ *)','color','red','fontSize',12)

hold off

[x1,x3]

图 5-10　动力系统相位图$\left(x_1 = 1 - \dfrac{c_{21}}{f_1} \right)$

%% 对矿工安全生产策略进行约束

x_1=0. 8;%% 政府机构选择监督策略的概率取值为常数 0。

c_1=.5;c_2=0. 2;c_3=0. 3;f_1=1;f_2=1. 2;%% 这一组取值

[x_2,x_3]=meshgrid(linspace(0,1,30));

xlabel(' The probability of player I″s strategy selection \it x_2'),.. ,ylabel('
The probability of player I″s strategy selection \it x_3')% axis([0 1 0 1])%% 坐

标范围

% % 画图动力系统相图

h=streamslice(x_2,x_3,x_2.*(1-x_2).*((1-x_1)*(f_1+x_3*f_2)-c_2),

x_3.*(1-x_3).*((1-x_1)*(1-x_2)*(f_1+f_2)-c_3));

x2=1-c_3/(1-x_1)/(f_1+f_2),x3=(c_2-(1-x_1)*f_1)/(1-x_1)/f_

1% % 平衡点(x2*,x3*)

holdon

line(,[x3x3],'linestyle','-','color','black');% % 画水平直线

line([x2x2], ,'linestyle','-','color','black');% % 画竖直直线

plot(x2,x3,'*','color','red','MarkerSize',6);

text(x2+0.005,x3+0.05,'P(x_2^*,x_3^*)','color','red','fontSize',12)

hold off

[x2,x3]

第6章 分数阶动态方程求解的 ABM 算法与插图 MATLAB 代码

图 6-1 分数阶动力系统相位图

% A Fractional Supervision Game Model20170101

% 求 ESS

% Adams-Bashforth-Moulton 预估修正方法

% 分数阶微分方程数值解法

% 三方监管博弈方程

% 罚金 k1;aa1,安全成本;aa2,不安全成本;aa=aa1-aa2;

% 罚金 k2;b,检查成本;

% 监督成本 c

T=300;% 时间长度,积分区间

h=0.01;% step 步长

n=T/h;% 分割区间数

aa=0.8;b=0.2;c=0.25;k1=2;k2=2;% 安全投入差,罚金1,罚金2,检查成本,政府监督成本

q=1.05;

x0=0.7;y0=0.5;z0=0.6;% 变量初值

% AB 法(内插公式)

```matlab
a10=n^(q1+1)-(n-q1)*(n+1)^q1 ;
a20=n^(q2+1)-(n-q2)*(n+1)^q2;
a30=n^(q1+1)-(n-q1)*(n+1)^q1;
for j=1:n
a1(j)=(n-j+2)^(q1+1)+(n-j)^(q1+1)-2*(n-j+1)^(q1+1);% AB
法系数1
a2(j)=(n-j+2)^(q2+1)+(n-j)^(q2+1)-2*(n-j+1)^(q2+1);% AB
法系数2
a3(j)=(n-j+2)^(q3+1)+(n-j)^(q3+1)-2*(n-j+1)^(q3+1);% AB
法系数3
end
a1(n+1)=1;a2(n+1)=1;a3(n+1)=1;
% AM 法(外推公式)
b10=h^q1/q1*((n+1)^q1-n^q1);
b20=h^q2/q2*((n+1)^q2-n^q2);
b30=h^q3/q3*((n+1)^q3-n^q3);
for j=1:n;
b1(j)=h^q1/q1*((n-j+1)^q1-(n-j)^q1);% AM 法系数1
b2(j)=h^q2/q2*((n-j+1)^q2-(n-j)^q2);% AM 法系数2
b3(j)=h^q3/q3*((n-j+1)^q3-(n-j)^q3);% AM 法系数3
end
%% AB 法--外推法
x(1)=x0+b10*(x0*(1-x0)*(k1*(y0+z0-y0*z0)-aa))/gamma
(q1);
y(1)=y0+b20*(y0*(1-y0)*((1-x0)*(k1+k2*z0)-b))/gamma
(q2);
z(1)=z0+b30*(z0*(1-z0)*((1-x0)*(1-y0)*(k1+k2)-c))/
gamma(q3);
for i=1:n
x(i+1)=x(i)+b1(i)*(x(i)*(1-x(i))*(k1*(y(i)+z(i)-y(i)*z
(i))-aa))/gamma(q1);
y(i+1)=y(i)+b2(i)*(y(i)*(1-y(i))*((1-x(i))*(k1+k2*z
(i))-b))/gamma(q2);
```

```
z(i+1)=z(i)+b3(i)*(z(i)*(1-z(i))*((1-x(i))*(1-y(i))*
(k1+k2)-c))/gamma(q3);
    end
    xp=x(n+1);yp=y(n+1);zp=z(n+1);%% 外推法的结果(修正值)
    %% 内插法 Adams-Bashforth
    x(1)=x0+a10*(x0*(1-x0)*(k1*(y0+z0-y0*z0)-aa))*h^q1/
gamma(q1+2);
    y(1)=y0+a20*(y0*(1-y0)*((1-x0)*(k1+k2*z0)-b))*h^q2/
gamma(q2+2);
    z(1)=z0+a30*(z0*(1-z0)*((1-x0)*(1-y0)*(k1+k2)-c))*h^
q3/gamma(q3+2);
    for i=1:(n-1)
    x(i+1)=x(i)+a1(i)*(x(i)*(1-x(i))*(k1*(y(i)+z(i)-y(i)*z
(i))-aa))*h^q1/gamma(q1+2);
    y(i+1)=y(i)+a2(i)*(y(i)*(1-y(i))*((1-x(i))*(k1+k2*z
(i))-b))*h^q2/gamma(q2+2);
    z(i+1)=z(i)+a3(i)*(z(i)*(1-z(i))*((1-x(i))*(1-y(i))*
(k1+k2)-c))*h^q3/gamma(q3+2);
    end
    %% 数值模拟 ABM 法
    x(n+1)=x(n)+(xp*(1-xp)*(k1*(yp+zp-yp*zp)-aa))*h^q1/
gamma(q1+2);
    y(n+1)=y(n)+(yp*(1-yp)*((1-xp)*(k1+k2*zp)-b))*h^q2/
gamma(q2+2);
    z(n+1)=z(n)+(zp*(1-zp)*((1-xp)*(1-yp)*(k1+k2)-c))*h^
q3/gamma(q3+2);
    plot3(x,y,z,'b');xlabel('X');ylabel('Y');zlabel('Z');view([45,45,
60])%% 画图(BLUE)
    ii=1:n+1;t=ii*0.01;
```

图 6-5　对企业的检查行为做出强制性规定情形 $y=0.4$ 时 TSG

```
    % A Fractional Supervision Game Model
    %% 固定检查人员选择概率 y=y0
    T=600;% 时间长度,积分区间
```

```
h=0.01;% step 步长
n=T/h;% 分割区间数
aa=0.8;b=0.2;c=0.25;k1=2;k2=2;% 安全投入差,罚金1,罚金2,检
查成本,政府监督成本
q=1.05;
x0=0.7;y0=0.4;z0=0.6;% 变量初值
% AB 法(内插公式)
a10=n^(q1+1)-(n-q1)*(n+1)^q1;
a20=n^(q2+1)-(n-q2)*(n+1)^q2;
a30=n^(q1+1)-(n-q1)*(n+1)^q1;
for j=1:n
a1(j)=(n-j+2)^(q1+1)+(n-j)^(q1+1)-2*(n-j+1)^(q1+1);% AB
法系数1
a2(j)=(n-j+2)^(q2+1)+(n-j)^(q2+1)-2*(n-j+1)^(q2+1);% AB
法系数2
a3(j)=(n-j+2)^(q3+1)+(n-j)^(q3+1)-2*(n-j+1)^(q3+1);% AB
法系数3
end
a1(n+1)=1;a2(n+1)=1;a3(n+1)=1;
% AM 法(外推公式)
b10=h^q1/q1*((n+1)^q1-n^q1);
b20=h^q2/q2*((n+1)^q2-n^q2);
b30=h^q3/q3*((n+1)^q3-n^q3);
for j=1:n;
b1(j)=h^q1/q1*((n-j+1)^q1-(n-j)^q1);% AM 法系数1
b2(j)=h^q2/q2*((n-j+1)^q2-(n-j)^q2);% AM 法系数2
b3(j)=h^q3/q3*((n-j+1)^q3-(n-j)^q3);% AM 法系数3
end
x(1)=x0+b10*(x0*(1-x0)*(k1*(y0+z0-y0*z0)-aa))/gamma
(q1);
z(1)=z0+b30*(z0*(1-z0)*((1-x0)*(1-y0)*(k1+k2)-c))/
gamma(q3);
for i=1:n
```

```matlab
    y(i)=y0;
    x(i+1)=x(i)+b1(i)*(x(i)*(1-x(i))*(k1*(y(i)+z(i)-y(i)*z
(i))-aa))/gamma(q1);
    z(i+1)=z(i)+b3(i)*(z(i)*(1-z(i))*((1-x(i))*(1-y(i))*
(k1+k2)-c))/gamma(q3);
    end
    xp=x(n+1);yp=y0;zp=z(n+1);%%外推法的结果(修正值)

    x(1)=x0+a10*(x0*(1-x0)*(k1*(y0+z0-y0*z0)-aa))*h^q1/
gamma(q1+2);
    z(1)=z0+a30*(z0*(1-z0)*((1-x0)*(1-y0)*(k1+k2)-c))*h^
q3/gamma(q3+2);
    for i=1:(n-1)
    x(i+1)=x(i)+a1(i)*(x(i)*(1-x(i))*(k1*(y(i)+z(i)-y(i)*z
(i))-aa))*h^q1/gamma(q1+2);
    z(i+1)=z(i)+a3(i)*(z(i)*(1-z(i))*((1-x(i))*(1-y(i))*
(k1+k2)-c))*h^q3/gamma(q3+2);
    end
    %%ABM方法(预估-修正法)
    x(n+1)=x(n)+(xp*(1-xp)*(k1*(yp+zp-yp*zp)-aa))*h^q1/
gamma(q1+2);
    y(n+1)=y0;
    z(n+1)=z(n)+(zp*(1-zp)*((1-xp)*(1-yp)*(k1+k2)-c))*h^
q3/gamma(q3+2);
    plot(x,z,'b');xlabel('x');ylabel('z');title(['y=',num2str(y0)])%%
画图(BLUE)
    xlim([0 1]);ylim([0 1]);
    text(x0,z0,'*START POINT','color','r')
    ii=1:n+1;t=ii*0.01;
```

第7章 插图 MATLAB 代码(部分)

图 7-1　通常情况下的多总体演化博弈相位图

```matlab
    clear,clc
```

```
%%多总体演化博弈动力系统
% 煤矿安全
A=[-a,k-a;0,-f];%% 生产队支付
B=[1-b,1-b;1-f,1];%% 监察组支付矩阵
% u=[1 0]*A*[y 1-y]';u0=[x 1-x]*A*[y 1-y]';
% u-u0;% v=[x 1-x]*B*[y 1-y]';
a=0.3;b=0.2;f=10;k=0.5;% 监察成本% 安全投入% 罚金% 奖励检查
小组
n=600;%% 插值点数
[x,y]=meshgrid(linspace(0,1,n));
u=(1-x).*((k+f).*(1-y)-a);%% 生产队收益差
uu=(k+f-a)*x+f*y+(k+f)*x.*y-f;%% 生产队平均收益
v=(1-y).*(f*x-b);%% 监察组收益差
vv=1-f*x-b*y+f*x.*y;%% 监察组平均收益
l=0.5;m=0.2;%%l 为位移,m 为拉伸
s=streamslice(x,y,m*u./(l+m*uu),m*v./(l+m*vv));% 画流线图
set(s,'color','b')
xlabel('The probability of player I″s strategy selection x'),ylabel('The prob-
ability of player II″s strategy selection y')
xlim([0 1]);
ylim([0 1]);
hold on
plot(b/(b+f),1-a/(k+f),'r.') % 画出动力系统的中心
text(b/(b+f)+0.01,1-a/(k+f)+0.0,'P(x*,y*)') % 标注中心
title('A general situation of safety supervision')
hold off
```

图 7-4　高罚金情形的多总体演化博弈相位图

```
a=0.3;b=0.2;f=10;k=0.5;
n=600;%% 插值点数
[x,y]=meshgrid(linspace(0,1,n));
u=(1-x).*((k+f).*(1-y)-a);%% 生产队收益差
uu=(k+f-a)*x+f*y+(k+f)*x.*y-f;%% 生产队平均收益
v=(1-y).*(f*x-b);%% 监察组收益差
```

```
vv=1-f*x-b*y+f*x.*y;%%监察组平均收益
l=0.5;m=0.2;%%l为位移,m为拉伸
s=streamslice(x,y,m*u./(l+m*uu),m*v./(l+m*vv));%画流线图
set(s,'color','b')
xlabel('The probability of player I″s strategy selection x'),ylabel('The prob-
ability of player II″s strategy selection y')
xlim([0 1]);
ylim([0 1]);
hold on
plot(b/(b+f),1-a/(k+f),'r.')%%画出动力系统的中心
text(b/(b+f)+0.01,1-a/(k+f)+0.0,'P(x*,y*)')%%标注中心
title('Higher penalty index(f=10)')
hold off
```

第8章　ABM 算法与插图 matlab 代码(部分)

图 8-1　策略选择的时间序列图($c_1 = 0.2$ 取值变小时)

Step1 建立一个函数调用 M 文件 threeplayerxwt.m

```
Function dx=threeplayerxwt(t,x)
dx=zeros(3,1);
c1=.2;c2=0.2;c3=0.3;A=1;B=1.2;
f1=A;%%动态惩罚指数
f2=B;%这一组取值
dx(1)=x(1)*(1-x(1))*(x(2)+(1-x(2))*x(3)*f1-c1);
dx(2)=x(2)*(1-x(2))*((1-x(1))*(f1+x(3)*f2)-c2);
dx(3)=x(3)*(1-x(3))*((1-x(1))*(1-x(2))*(f1+f2)-c3);
```

Step2 调用 M 文件 threeplayerxwt.m 并利用 ode45 函数求解并画图

```
%调用了三人博弈复制子动态方程 M 文件 threeplayerxwt.m
T=300;p0=[0.7 0.5 0.3];
[T,X]=ode45('threeplayerxwt',[0 T],p0);%4/5 阶龙哥-库塔-斐尔贝
格数值算法
plot(T,X(:,1),'r-',T,X(:,2),'b-',T,X(:,3),'k:');legend('x_1',
'x_2','x_3')
title('c_1=0.2')
```

图 8-3 动态成本条件下 x_1, x_2, x_3 的时间序列图($c_i(x_i) = c_i(1 - x_i)$),$i = 1, 2, 3$)

Step1 建立一个函数调用 M 文件 threeplayerxwt. m

Function dx = threeplayerxwt(t, x)

dx = zeros(3, 1);

c1 = . 2; c2 = 0. 2; c3 = 0. 3; A = 1; B = 1. 2;

f1 = A;% % 动态惩罚指数

f2 = B;% 这一组取值

c1 = c1 * (1-x(1)); c2 = c2 * (1-x(2)); c3 = c3 * (1-x(3));

dx(1) = x(1) * (1-x(1)) * (x(2)+(1-x(2)) * x(3) * f1-c1);

dx(2) = x(2) * (1-x(2)) * ((1-x(1)) * (f1+x(3) * f2)-c2);

dx(3) = x(3) * (1-x(3)) * ((1-x(1)) * (1-x(2)) * (f1+f2)-c3);

Step2 调用 M 文件 threeplayerxwt. m 并利用 ode45 函数求解并画图

% 调用了三人博弈复制子动态方程 M 文件 threeplayerxwt. m

T = 300; p0 = [0. 7 0. 5 0. 3];

[T, X] = ode45('threeplayerxwt', [0 T], p0);% 4/5 阶龙哥-库塔-斐尔贝格数值算法

plot(T, X(:, 1), 'r-', T, X(:, 2), 'b-', T, X(:, 3), 'k:');legend('x_1', 'x_2', 'x_3')

axis([0 300 0 1]) % % 坐标范围

title(['c_i(x_i) = c_i(1-x_i), i = 1, 2, 3, 变量初始值为(', num2str(p0(1)), ',', num2str(p0(2)), ',', num2str(p0(3)), ')'])

图 8-4 动态成本条件下博弈动力系统相位图

Step1 建立一个函数调用 M 文件 threeplayerxwt. m(同上)

Step2 调用 M 文件 threeplayerxwt. m 并利用 ode45 函数求解并画图

T = 300;

p3 = [0. 5 0. 7 0. 9]; p2 = [0. 3 0. 5 0. 7]; p1 = [0. 7 0. 5 0. 3]; p0 = [0. 5 0. 3 0. 2];

[T, X] = ode45('threeplayerxwt', [0 T], p0);% 4/5 阶龙哥-库塔-斐尔贝格数值算法

[T, y] = ode45('threeplayerxwt', [0 300], p1);% 4/5 阶龙哥-库塔-斐尔贝格数值算法

[T, z] = ode45('threeplayerxwt', [0 300], p2);% 4/5 阶龙哥-库塔-斐尔

223

贝格数值算法

[T,w]=ode45('threeplayerxwt',[0 300],p3);% 4/5 阶龙哥-库塔-斐尔
贝格数值算法

%% 画相位图

plot3(X(:,1),X(:,2),X(:,3),'r');

hold on

plot3(y(:,1),y(:,2),y(:,3),'b-');plot3(z(:,1),z(:,2),z(:,3),'m-.');plot3(w(:,1),w(:,2),w(:,3),'k:');

legend('P_0(0.5,0.3,0.2)','P_1(0.7,0.5,0.3)','P_2(0.3,0.5,0.7)','P_3(0.5,0.7,0.9)')

title('c_i(x_i)=c_i(1-x_i),i=1,2,3,Phase diagram of tripartite game')

axis([0 1 0 1 0 1]) %% 坐标范围

text(p0(1),p0(2),p0(3)-.01,'P_0','fontSize',8);

text(p1(1),p1(2),p1(3)-.01,'P_1','fontSize',8);

text(p2(1),p2(2),p2(3)-.01,'P_2','fontSize',8);

text(p3(1),p3(2),p3(3)-.01,'P_3','fontSize',8);

xlabel('\it x_1');ylabel('\it x_2');zlabel('\it x_3')

图 8-5a 静态惩罚指数情形下参与人行为选择的时间序列图
(f_L=2 取值增大时)

Step1 建立一个函数调用 M 文件 threeplayerxwt.m

Function dx=threeplayerxwt(t,x)

dx=zeros(3,1);

c1=.2;c2=0.2;c3=0.3;A=2;B=1.2;

f1=A;%% 动态惩罚指数

f2=B;% 这一组取值

c1=c1*(1-x(1));c2=c2*(1-x(2));c3=c3*(1-x(3));

dx(1)=x(1)*(1-x(1))*(x(2)+(1-x(2))*x(3)*f1-c1);

dx(2)=x(2)*(1-x(2))*((1-x(1))*(f1+x(3)*f2)-c2);

dx(3)=x(3)*(1-x(3))*((1-x(1))*(1-x(2))*(f1+f2)-c3);

Step2 调用 M 文件 threeplayerxwt.m 并利用 ode45 函数求解并画图

% 调用 threeplayerxwt.m,利用 ode45 求解并画图

T=300;p0=[0.7 0.5 0.3];

[T,X]=ode45('threeplayerxwt',[0 T],p0);% 4/5 阶龙哥-库塔-斐尔贝

格数值算法

plot(T,X(:,1),'r-',T,X(:,2),'b-',T,X(:,3),'k:');legend('x_1',
'x_2','x_3')

axis([0 300 0 1]) %% 坐标范围

title(['f_1=2,f_2=1.2;变量初始值为(',num2str(p0(1)),',',num2str
(p0(2)),',',num2str(p0(3)),')'])

图 8-6　动态惩罚机制下博弈动力系统相位图$(f_i(x_i)=f_i(x_i^{-1}-1),i=1,2)$

Step1　建立一个函数调用 M 文件 threeplayerxwt. m

Function dx=threeplayerxwt(t,x)

dx=zeros(3,1);

c1=.2;c2=0.2;c3=0.3;A=1;B=1.2;

f1=A*(1/x(1)-1);

f2=B*(1/x(2)-1);

% c1=c1*(1-x(1));c2=c2*(1-x(2));c3=c3*(1-x(3));

dx(1)=x(1)*(1-x(1))*(x(2)+(1-x(2))*x(3)*f1-c1);

dx(2)=x(2)*(1-x(2))*((1-x(1))*(f1+x(3)*f2)-c2);

dx(3)=x(3)*(1-x(3))*((1-x(1))*(1-x(2))*(f1+f2)-c3);

Step2　调用 M 文件 threeplayerxwt. m 并利用 ode45 函数求解并画图

% M 文件 threeplayerxwt. m

T=300;

p3=[0.5 0.7 0.9];p2=[0.3 0.5 0.7];p1=[0.7 0.5 0.3];p0=[0.5
0.3 0.2];

[T,X]=ode45('threeplayerxwt',[0 T],p0);%4/5 阶龙哥-库塔-斐尔贝
格数值算法

[T,y]=ode45('threeplayerxwt',[0 300],p1);%4/5 阶龙哥-库塔-斐尔
贝格数值算法

[T,z]=ode45('threeplayerxwt',[0 300],p2);%4/5 阶龙哥-库塔-斐尔
贝格数值算法

[T,w]=ode45('threeplayerxwt',[0 300],p3);%4/5 阶龙哥-库塔-斐尔
贝格数值算法

%% 画相位图

plot3(X(:,1),X(:,2),X(:,3),'r');

hold on

% plot3(y(:,1),y(:,2),y(:,3));legend(['P_0(',num2str(p0(1)),',',num2str(p0(2)),',',num2str(p0(3)),')'])

plot3(y(:,1),y(:,2),y(:,3),'b-') ;

plot3(z(:,1),z(:,2),z(:,3),'m-.') ;plot3(w(:,1),w(:,2),w(:,3),'k:') ;

legend('P_0(0.5,0.3,0.2)','P_1(0.7,0.5,0.3)','P_2(0.3,0.5,0.7)','P_3(0.5,0.7,0.9)')

title('f_i(x_i)=f_i(1/x_i-1),i=1,2')

axis([0 1 0 1 0 1]) %% 坐标范围

text(p0(1),p0(2),p0(3)-.01,'P_0','fontSize',8) ;

text(p1(1),p1(2),p1(3)-.01,'P_1','fontSize',8) ;

text(p2(1),p2(2),p2(3)-.01,'P_2','fontSize',8) ;

text(p3(1),p3(2),p3(3)-.01,'P_3','fontSize',8) ;

xlabel('\it x_1') ;ylabel('\it x_2') ;zlabel('\it x_3')

图 8-7a　动态惩罚机制下参与人策略选择的时间序列图($f(x)=M(1-x)$)

Step1　建立一个函数调用 M 文件 threeplayerxwt.m

Function dx=threeplayerxwt(t,x)

dx=zeros(3,1) ;

c1=.2;c2=0.2;c3=0.3;A=2;B=1.2;

f1=A*(1-x(1));%% 动态惩罚指数

f2=B*(1-x(2)) ;

dx(1)=x(1)*(1-x(1))*(x(2)+(1-x(2))*x(3)*f1-c1) ;

dx(2)=x(2)*(1-x(2))*((1-x(1))*(f1+x(3)*f2)-c2) ;

dx(3)=x(3)*(1-x(3))*((1-x(1))*(1-x(2))*(f1+f2)-c3) ;

Step2　调用 M 文件 threeplayerxwt.m 并利用 ode45 函数求解并画图

% 调用 threeplayerxwt.m,利用 ode45 求解并画图

T=300;p0=[0.7 0.5 0.3] ;

[T,X]=ode45('threeplayerxwt',[0 T],p0) ;% 4/5 阶龙哥-库塔-斐尔贝格数值算法

plot(T,X(:,1),'r-',T,X(:,2),'b-',T,X(:,3),'k:') ;legend('x_1','x_2','x_3')

```
    axis([0 300 0 1])%%坐标范围
    title(['动态惩罚函数 f(x)=M(1-x),变量初始值为(',num2str(p0
(1)),',',num2str(p0(2)),',',num2str(p0(3)),')'])
```

图 8-9　激励性奖惩机制下博弈动力系统相位图

Step1　建立一个函数调用 M 文件 threeplayerxwt.m

```
function dx=threeplayerxwt(t,x)
dx=zeros(3,1);
c1=.5;c2=0.2;c3=0.3;A=1;B=1.2;
f1=A;%% 动态惩罚指数
f2=B*(1/x(2)^2-1);%% 这一组取值还可以
c1=c1*(1-x(1));
dx(1)=x(1)*(1-x(1))*(x(2)+(1-x(2))*x(3)*f1-c1);
dx(2)=x(2)*(1-x(2))*((1-x(1))*(f1+x(3)*f2)-c2);
dx(3)=x(3)*(1-x(3))*((1-x(1))*(1-x(2))*(f1+f2)-c3);
```

Step2　调用 M 文件 threeplayerxwt.m 并利用 ode45 函数求解并画图

```
T=300;
p3=[0.5 0.7 0.9];p2=[0.3 0.5 0.7];
p1=[0.7 0.5 0.3];p0=[0.5 0.3 0.2];p5=[0.1 0.3 0.9];
% p0=p1;
[T,X]=ode45('threeplayerxwt',[0 T],p0);%4/5 阶龙哥-库塔-斐尔贝
格数值算法
[T,y]=ode45('threeplayerxwt',[0 300],p1);%4/5 阶龙哥-库塔-斐尔
贝格数值算法
[T,z]=ode45('threeplayerxwt',[0 300],p2);%4/5 阶龙哥-库塔-斐尔
贝格数值算法
[T,w]=ode45('threeplayerxwt',[0 300],p3);%4/5 阶龙哥-库塔-斐尔
贝格数值算法
%% 画相位图
plot3(X(:,1),X(:,2),X(:,3),'r');
hold on
plot3(y(:,1),y(:,2),y(:,3),'b-');plot3(z(:,1),z(:,2),z(:,3),'
m-.');plot3(w(:,1),w(:,2),w(:,3),'k:');
legend('P_0(0.5,0.3,0.2)','P_1(0.7,0.5,0.3)','P_2(0.3,0.5,
```

0.7)′,′P_3(0.5,0.7,0.9)′)

    title(′c_1(x_1)=c_1(1-x_1),f_2(x_2)=f_2(1/x_2^2-1)′)

    axis([0 1 0 1 0 1])%%坐标范围

    text(p0(1),p0(2),p0(3)-.01,′P_0′,′fontSize′,8);

    text(p1(1),p1(2),p1(3)-.01,′P_1′,′fontSize′,8);

    text(p2(1),p2(2),p2(3)-.01,′P_2′,′fontSize′,8);

    text(p3(1),p3(2),p3(3)-.01,′P_3′,′fontSize′,8);

    xlabel(′\it x_1′);ylabel(′\it x_2′);zlabel(′\it x_3′)

图 8-10a   激励性奖惩机制下参与人策略选择的时间序列图

    Step1   建立一个函数调用 M 文件 threeplayerxwt. m

    function dx=threeplayerxwt(t,x)

    dx=zeros(3,1);

    c1=.5;c2=0.2;c3=0.3;A=1;B=1.2;

    f2=B*(1/x(2)^2-1);%%这一组取值还可以

    f1=A;%% 动态惩罚指数

    c1=c1*(1-x(1));

    dx(1)=x(1)*(1-x(1))*(x(2)+(1-x(2))*x(3)*f1-c1);

    dx(2)=x(2)*(1-x(2))*((1-x(1))*(f1+x(3)*f2)-c2);

    dx(3)=x(3)*(1-x(3))*((1-x(1))*(1-x(2))*(f1+f2)-c3);

    Step2   调用 M 文件 threeplayerxwt. m 并利用 ode45 函数求解并画图

    % 调用 threeplayerxwt. m,利用 ode45 求解并画图

    T=300;p0=[0.7 0.5 0.3];

    [T,X]=ode45(′threeplayerxwt′,[0 T],p0);%4/5 阶龙哥-库塔-斐尔贝
格数值算法

    plot(T,X(:,1),′r-′,T,X(:,2),′b-′,T,X(:,3),′k:′);legend(′x_1′,
′x_2′,′x_3′)

    axis([0 300 0 1])%%坐标范围

    title([′c_1(x_1)=c_1(1-x_1),f_2(x_2)=M_2(x_2^-2-1),变量初始
值为(′,num2str(p0(1)),′,′,num2str(p0(2)),′,′,num2str(p0(3)),′)′])

228

参 考 文 献

[1] 庾莉萍. 美国历史上的矿难及治理经验 [J]. 中国减灾, 2007 (3): 50-51.

[2] 李博杨, 李贤功, 吴利高, 王克. 基于熵权法和集对分析的煤矿安全事故人因失误分析 [J]. 矿业安全与环保, 44 (1): 111-114, 2017.

[3] 谭章禄, 单斐. 近十年我国煤矿安全事故时空规律研究 [J]. 中国煤炭, 2017 (9): 102-107.

[4] Chinese government network. Two serious coal mine gas explosion accidents handled seriously by the state council [OL]. http://www.gov.cn/xinwen/2017-08/31/content_ 5221780. htm. Accessed: August 31, 2017.

[5] 袁显, 严永胜, 张金锁. 我国煤矿矿难特征及演变趋势 [J]. 中国安全科学学报, 24 (6): 135-140, 2014.

[6] 国务院办公厅关于印发安全生产"十三五"规划的通知 国办发 (2017) 3 号. 安全生产"十三五"规划 [OL]. http://www.chinasafety. gov. cn/newpage/Contents/Channel _ 5351/2015/1208/261652/content_ 261652. htm. Accessed: May 10, 2017.

[7] Alison Morantz. Coal mine safety: Do unions make a difference? [J]. Industrial & Labor Relations Review, 66 (1): 88-116, 2016.

[8] Raymond Fisman and Yongxiang Wang. The mortality cost of political connections [J]. Review of Economic Studies, 82 (4), 2017.

[9] Olga Tkacheva, Anna Batashova, Irina Zhukova, Anna Smakhtina, and Liudmila Topchienko. Strategic management of coal mining industry efficiency [J]. Asian Social Science, 11 (20), 2015.

[10] Izabela. Jonek Kowalska. Risk management in the hard coal mining industry: Social and environmental aspects of collieries′ liquidation [J]. Resources Policy, 41 (41): 124-134, 2014.

[11] A. W Homer. Coal mine safety regulation in China and the USA [J]. Journal of Contemporary Asia, 39 (3): 424-439, 2009.

[12] 李新娟. 中美煤矿安全管理体制机制的比较与分析 [J]. 矿业安全与环保, 39 (5): 93-96, 2012.

[13] 徐礼余. 关于引进煤矿安全监管"第三方"机制的探索与思考 [J]. 煤矿安全, 45 (7): 230-232, 2014.

[14] 李红霞, 王璟, 田水承, 等. 煤矿生产零伤害保障研究 [J]. 中国安全科学学报, 24 (6): 8-13, 2014.

[15] 马金山, 姬长生. 煤矿安全管理效率研究 [J]. 中国安全科学学报, 24 (11): 3-9, 2014.

[16] 倪文耀, 宋重阳. 经济新常态下煤矿安全管理模式的改进 [J]. 中国煤炭, 42 (11): 27-29, 2016.

[17] 李光荣, 杨锦绣, 刘文玲, 刘海滨. 2 种煤矿安全管理体系比较与一体化建设途径探讨 [J]. 中国安全科学学报, 24 (4): 117-123, 2014.

[18] Darren Sinclair. Corporate OSH management architecture in the Australian coal mining industry [J]. Policy & Practice in Health & Safety, 10 (2): 3-24, 2016.

[19] Michael Zanko and Patrick Dawson. Occupational health and safety management in organizations: A review [J]. International Journal of Management Reviews, 14 (3): 328–344, 2012.

[20] M. Onder, S. Onder, and E. Adiguzel. Applying hierarchical loglinear models to nonfatal underground coal mine accidents for safety management [J]. International Journal of Occupational Safety & Ergonomics Jose, 20 (2): 239-48, 2014.

[21] Haryadi Permana, Nugroho. Dwi Hananto, Rina Zuraida, Susilohadi Susilohadi, Mustaba. Ari Suryoko, Nazar Nazarudin, Eko Saputro, Adi. C Sinaga, and Septiono. Hary Nugroho. Natural to anthropogenic influence of environmental change of Jakarta Bay: seismic reflection and sediment coring studies [J]. Indonesian Journal of Geospatial, 4 (1): 25-33, 2015.

[22] 吴刚, 谢和平, 刘虹. 煤炭生产的制约瓶颈及变革的方向 [J]. 西南民族大学学报 (人文社科版), (3): 164-167, 2017.

[23] 王龙康, 李祥春, 李安金, 等. 我国煤矿安全生产现状分析及改善措施 [J]. 中国煤炭, 42 (9): 96-100, 2016.

[24] 李绪萍, 刘业娇, 任晓鹏. 煤矿安全生产评价与动态控制模型研究 [J]. 煤炭技术, 2017, (1): 323-325.

[25] 刘香兰. 煤矿安全生产大数据分析与管理平台设计研究 [J]. 煤炭工程, 49 (6): 32-35, 2017.

[26] 刘广平, 戚安邦, 李素红. 煤矿安全风险集成管理成熟度评价模型与

230

方法研究［J］. 安全与环境学报, 13（5）：244-250, 2013.

［27］何叶荣, 孟祥瑞, 罗文科, 等. 基于耦合协调度的煤矿安全应急管理评价［J］. 中国安全生产科学技术, 12（8）：115-119, 2016.

［28］何叶荣, 李慧宗, 王向前. 煤矿安全管理多元风险辨识及演化机理［J］. 中国安全生产科学技术,（5）：180-185, 2014.

［29］贺静, 赵众, 董叶伟. 浅析基于风险预控的煤矿安全管理［J］. 控制理论与应用, 32（3）：312-319, 2015.

［30］李光荣, 田佩芳, 刘海滨. 煤矿安全风险预控管理信息化云平台设计［J］. 中国安全科学学报, 24（2）：138-144, 2014.

［31］孟现飞, 李克业, 刘飞. 基于3级嵌套安全管理模式的煤矿安全风险预控研究［J］. 中国安全科学学报, 23（4）：102, 2013.

［32］曹庆贵, 张静, 孙启华, 俞凯. 煤矿事故隐患管理与预警系统的设计与应用［J］. 矿业安全与环保, 43（3）：107-110, 2016.

［33］黄姗姗, 曹庆贵, 王林林. 煤矿企业全面风险管理策略分析［J］. 中国矿业, 26（7）：7-11, 2017.

［34］卞大宁. 煤矿基层单位任务多工期紧情况下"攻防意识"的实践与应用［J］. 内蒙古煤炭经济,（15）：71-72, 2017.

［35］高平, 傅贵. 一起重大煤矿顶板事故行为原因研究［J］. 矿业安全与环保,（6）：110-114, 2014.

［36］马跃, 傅贵, 杨卓明. 矿工不安全行为分类及控制对策研究［J］. 煤矿安全, 45（9）：235-237, 2014.

［37］刘晓君, 陆雪松. 我国煤矿安全政策执行存在的问题及对策建议［J］. 中国矿业, 22（5）：28-31, 2013.

［38］K. Duma, A. H. Husodo, Soebijanto, and L. S. Maurits. The policy of control health and safety and the risk factors in the coal mining of east Kalimantan［J］. Bmc Public Health, 14（Suppl 1）：O26, 2014.

［39］S. Mahdevari, K. Shahriar, and A. Esfahanipour. Human health and safety risks management in underground coal mines using fuzzy TOPSIS［J］. Science of the Total Environment, 488（s 488－489）：85-99, 2014.

［40］曹庆仁. 基于安全行为的煤矿安全管理系统模型［J］. 煤矿安全, 45（4）：219-222, 2014.

［41］陈红, 王珂, 祁慧, 龙如银, 刘静. 基于ABMS的煤矿不安全行为惩罚制度有效性仿真［J］. 数学的实践与认识, 44（1）：53-71, 2014.

[42] 丁振，张骥. 浅析大数据技术助力煤矿安全管理 [J]. 中国煤炭，
(10)：121-123，2015.

[43] 赵宝福，张超，贾宝山等. TIFNs-AHP 在煤矿企业安全投入中的应用
[J]. 中国安全科学学报，26（3）：145-150，2016.

[44] S. Bouzat and M. N. Kuperman. Game theory in models of pedestrian room e-
vacuation [J]. Physical Review E Statistical Nonlinear & Soft Matter Phys-
ics, 89 (3): 032806, 2014.

[45] Emmanuel Dechenaux, Kovenock Dan, and Roman. M. Sheremeta. A survey
of experimental research on contests, all-pay auctions and tournaments [J].
Experimental Economics, 18 (4): 609-669, 2015.

[46] 于洋. 多目标博弈均衡解的算法研究 [D]. 吉林省吉林市：东北电
力大学，2016.

[47] 杨光惠. 多目标群体博弈平衡的精炼 [D]. 贵州贵阳：贵州大
学，2017.

[48] R. Buckdahn, P. Cardaliaguet, and M. Quincampoix. Some recent aspects
of differential game theory [J]. Dynamic Games & Applications, 1 (1):
74-114, 2011.

[49] Draguna Vrabie and Frank Lewis. Adaptive dynamic programming for online
solution of a zero-sum differential game [J]. Control Theory and Technolo-
gy, 9 (3): 353-360, 2011.

[50] Gary. M. Erickson. A differential game model of the marketing-operations
interface [J]. European Journal of Operational Research, 211 (2):
394-402, 2011.

[51] Robert. J. Leonard. From parlor games to social science: Von Neumann,
Morgenstern, and the creation of game theory 1928-1944 [J]. Journal of
Economic Literature, 33 (2): 730-761, 1995.

[52] J. Maynard Smith and G. R. Price. The logic of animal conflict. Nature, 246
(11): 5-5, 1973.

[53] John. Maynard Smith. Evolution and the Theory of Games [M]. Cambridge
University Press 1982.

[54] 刘璐菊. 博弈理论在生物学当中的应用 [D]. 辽宁大连：大连理工
大学，2006.

[55] Lei Zheng and Yi. Peng. Double game theory: Be described by China's Ac-

cession to the WTO and the relations between Taiwan and the United States [J]. Advanced Materials Research, 1044-1045: 1733-1736, 2014.

[56] Chen. Kuo Lee. World Trade Organization. (WTO) negotiations between developing and developed countries: An evolutionary game theory approach [J]. International Journal of Management, 28, 2011.

[57] 沈冰, 周杰. 中国证券市场内幕信息操纵监管的博弈分析 [J]. 财经问题研究, (9): 54-60, 2017.

[58] 周晗琛. 证券市场与上市公司财务信息非对称进化博弈 [J]. 求索, (2): 15-18, 2014.

[59] 郭红梅, 汪贤裕, 王新辉. 混合不对称信息下第三方物流激励契约研究 [J]. 统计与决策, (14): 66-69, 2011.

[60] Chris Wallace and H. Peyton Young. Stochastic evolutionary game dynamics [J]. Theoretical Population Biology, 38 (2): 219-232, 2015.

[61] J. M. Pacheco, F. C. Santos, and D. Dingli. The ecology of cancer from an evolutionary game theory perspective [J]. Interface Focus, 4 (4): 20140019, 2014.

[62] John. M. Mcnamara. Towards a richer evolutionary game theory [J]. Journal of the Royal Society Interface, 10 (88): 20130544, 2013.

[63] Patrick. De Leenheer, Anushaya Mohapatra, Haley. A. Ohms, David. A. Lytle, and J. M. Cushing. The puzzle of partial migration: Adaptive dynamics and evolutionary game theory perspectives [J]. Journal of Theoretical Biology, 412: 172-185, 2016.

[64] B. S. Steidinger and J. D. Bever. The coexistence of hosts with different abilities to discriminate against cheater partners: an evolutionary game-theory approach [J]. American Naturalist, 183 (6): 762-770, 2014.

[65] Siamak. Malakpour Estalaki, Armaghan Abed-Elmdoust, and Reza Kerachian. Developing environmental penalty functions for river water quality management: application of evolutionary game theory [J]. Environmental Earth Sciences, 73 (8): 4201-4213, 2015.

[66] Ioannis. V. Loumiotis, Evgenia. F. Adamopoulou, Konstantinos. P. Demestichas, Theodora. A. Stamatiadi, and Michael. E. Theologou. Dynamic backhaul resource allocation: An evolutionary game theoretic approach [J]. IEEE Transactions on Communications, 62 (2): 691 -

698, 2014.

[67] David Greiner, Jacques Periaux, Jose. M. Emperador, Blas Galván, and Gabriel Winter. Game theory based evolutionary algorithms: A review with nash applications in structural engineering optimization problems [J]. Archives of Computational Methods in Engineering, 24 (4): 1-48, 2016.

[68] Deng. Feng Li. Decision and Game Theory in Management With Intuitionistic Fuzzy Sets [M]. Springer Berlin Heidelberg, 2014.

[69] 许鑫, 邓璐芗. 基于博弈论的政务信息共享研究 [J]. 情报理论与实践, 36 (5): 71-77, 2013.

[70] Herbert Gintis. The Bounds of Reason: Game Theory and the Unification of the Behavioral Sciences [M]. Princeton University Press, 2014.

[71] Roger. A Mccain. Game theory: a nontechnical introduction to the analysis of strategy [J]. World Scientific Books, 2014.

[72] 彭长根, 田有亮, 刘海, 丁红发. 密码学与博弈论的交叉研究综述 [J]. 密码学报, 4 (1): 1-15, 2017.

[73] 宋余超, 陈福集. 基于博弈论的我国网络舆情研究文献综述 [J]. 情报杂志, (11): 100-104, 2015.

[74] Tarek Alskaif, Manel. Guerrero Zapata, and Boris Bellalta. Game theory for energy efficiency in wireless sensor networks: Latest trends [J]. Journal of Network & Computer Applications, 54 (C): 33-61, 2015.

[75] 岳宇君. 微博监管的博弈分析及对策研究 [J]. 情报杂志, (3): 138-142, 2014.

[76] 包颉. 博弈视角下的机构知识库版权利益关系研究 [J]. 情报理论与实践, 37 (12): 42-46, 2014.

[77] 蔡明山, 李宝斌. 学术"近亲繁殖"的博弈论分析及其启示 [J]. 湖南师范大学教育科学学报, (6): 116-120, 2014.

[78] Wes Maciejewski, Fu. Feng, and Christoph Hauert. Evolutionary game dynamics in populations with heterogenous structures [J]. Plos Computational Biology, 10 (4): e1003567, 2014.

[79] Sartakhti. J Salimi, M. H. Manshaei, and M. Sadeghi. MMP-TIMP interactions in cancer invasion: An evolutionary game-theoretical framework [J]. Journal of Theoretical Biology, 412 (18): 17-26, 2016.

[80] Chunxiao Jiang, Yan Chen, and K. J. Ray Liu. Graphical evolutionary game for

information diffusion over social networks [J]. IEEE Journal of Selected Topics in Signal Processing, 8 (4): 524–536, 2014.

[81] Xinyang Deng, Deqiang Han, Jean Dezert, Yong Deng, and Shyr Yu. Evidence combination from an evolutionary game theory perspective [J]. IEEE Transactions on Cybernetics, 46 (9): 2070–2082, 2016.

[82] Chunxiao Jiang, Yan Chen, and K. J. Ray Liu. Distributed adaptive networks: A graphical evolutionary game–theoretic view [J]. IEEE Transactions on Signal Processing, 61 (22): 5675–5688, 2013.

[83] Wen. Xu Wang, Ying. Cheng Lai, Celso Grebogi, and Jieping Ye. Network reconstruction based on evolutionary–game data via compressive sensing [J]. Physical Review X, 1 (2), 2015.

[84] Mohammad. H. Moradi, Mohamad Abedini, and S. Mahdi Hosseinian. A combination of evolutionary algorithm and game theory for optimal location and operation of dg from dg owner standpoints [J]. IEEE Transactions on Smart Grid, 7 (2): 608–616, 2016.

[85] Ankur Sinha, Pekka Malo, Anton Frantsev, and Kalyanmoy Deb. Finding optimal strategies in a multi–period multi–leader–follower Stackelberg game using an evolutionary algorithm [J]. Computers & Operations Research, 41 (1): 374–385, 2014.

[86] Chunguang Bai and Joseph Sarkis. Supplier development investment strategies: a game theoretic evaluation [J]. Annals of Operations Research, 240 (2): 583–615, 2016.

[87] Dima Faour–Klingbeil, Victor Kuri, and Ewen Todd. Investigating a link of two different types of food business management to the food safety knowledge, attitudes and practices of food handlers in Beirut, Lebanon [J]. Food Control, 55: 166–175, 2015.

[88] Mousa Marzband, Masoumeh Javadi, José. Luis Domínguez–García, and Maziar. Mirhosseini Moghaddam. Non–cooperative game theory based energy management systems for energy district in the retail market considering der uncertainties [J]. Iet Generation Transmission & Distribution, 10 (12): 2999–3009, 2016.

[89] Bryan. L. Mesmer and Christina. L. Bloebaum. Modeling decision and game theory based pedestrian velocity vector decisions with interacting individuals

[J]. Safety Science, 87: 116-130, 2016.

[90] 张国兴. 基于博弈视角的煤矿企业安全生产管制分析 [J]. 管理世界, (9): 184-185, 2013.

[91] 张炎亮, 叶雨露. 基于 Cournot 寡头竞争模型的煤矿安全精细化管理 [J]. 煤矿安全, 45 (12): 236-238, 2014.

[92] 谭波, 周德鑫. 安全管理中"重处罚轻激励"问题的博弈分析 [J]. 工业安全与环保, (10): 85-88, 2014.

[93] 李爽, 宋学锋. 我国煤矿企业安全监管的内外部博弈分析 [J]. 中国矿业大学学报, 39 (4): 610-616, 2010.

[94] 杨涛. 基于博弈论的煤矿企业安全管理分析 [J]. 煤矿安全, 43 (6): 176-179, 2012.

[95] 白刚. 煤炭安全管理的博弈分析 [J]. 现代工业经济和信息化, (8): 41-42, 2013.

[96] 田水承, 赵雪萍, 黄欣, 等. 基于进化博弈论的矿工不安全行为干预研究 [J]. 煤矿安全, 2013, 44 (8): 231-234.

[97] 冯群, 陈红. 基于动态博弈的煤矿安全管理制度有效性研究 [J]. 中国安全科学学报, 23 (2): 15, 2013.

[98] 沈斌. 基于演化博弈理论的安全生产监管效果研究 [J]. 工业安全与环保, 39 (2), 2013.

[99] 刘永亮, 张建国, 王华东. 煤矿安全管理与矿工违章行为进化博弈分析 [J]. 煤炭工程, 1 (1): 131-133, 2013.

[100] 张建国. 煤矿矿工违章行为管理对策研究 [D]. 河北邯郸: 河北工程大学, 2013.

[101] 卢宁. 煤矿安全管理与矿工违章行为进化博弈分析 [J]. 现代经济信息, (33), 2016.

[102] 王丽霞. 概率论与随机过程: 理论、历史及应用 [M]. 北京: 清华大学出版社, 2012.

[103] 张良桥. 进化稳定均衡与纳什均衡——兼谈进化博弈理论的发展 [J]. 经济科学, 23 (3): 103-111, 2001.

[104] Philip. J. Reny. Nash equilibrium in discontinuous games [J]. Economic Theory, 61 (3): 553-569, 2016.

[105] Drew Fudenberg and Jean Tirole. Game theory [M]. Mit Press Books, 1 (7): 841-846, 1991.

[106] Jörgen. W. Weibull. Evolutionary Game Theory [M]. MIT Press, 2009.

[107] Elvio Accinelli, Bruno Bazzano, Franco Robledo, and Pablo Romero. Nash equilibrium in evolutionary competitive models of firms and workers under external regulation [J]. Journal of Dynamics & Games, 2 (1): 1-32, 2015.

[108] Guilherme Carmona and Konrad Podczeck. Existence of Nash equilibrium in ordinal games with discontinuous preferences [J]. Economic Theory, 61 (3): 457-478, 2016.

[109] A. Melbinger, J. Cremer, and E. Frey. Evolutionary game theory in growing populations [J]. Physical Review Letters, 105 (17): 178101, 2010.

[110] Vadim Romanuke. Uniform sampling of the infinite noncooperative game on unit hypercube and reshaping ultimately multidimensional matrices of player's payoff values [J]. Electrical Control & Communication Engineering, 8 (1): 13-19, 2015.

[111] J. M. Smith. The theory of games and the evolution of animal conflicts [J]. Journal of Theoretical Biology, 47 (1): 209-21, 1974.

[112] 马知恩, 周义仓. 常微分方程定性与稳定性方法 [M]. 北京: 科学出版社, 2001.

[113] 张锦炎, 冯贝叶. 常微分方程几何理论与分支问题 [M]. 北京: 北京大学出版社, 2000.

[114] 廖晓昕. 动力系统的稳定性理论和应用 [M]. 北京: 国防工业出版社, 2000.

[115] V. F. Tkachev. Generalization of a theorem of H. Poincaré on the non-existence of limit cycles and some other results [J]. Science, 193 (4253): 597-599, 1976.

[116] Anders Björner and Gil Kalai. An extended Euler-Poincaré theorem [J]. Acta Mathematica, 161 (1): 279-303, 1988.

[117] S. M. Dzyuba. Two many-dimensional supplements to thePoincaré-Bendixson theorem [J]. Differential Equations, 31 (4), 2004.

[118] Mawhin and Jean. Variations onPoincaré - Miranda's theorem [J]. Advanced Nonlinear Studies, 13 (1): 209-217, 2013.

[119] Felix Haas. Poincaré-Bendixson type theorems for two-dimensional manifolds different from the torus [J]. Annals of Mathematics, 59

(2)：292-299，1954.

[120] 张芷芬. 微分方程定性理论 [M]. 北京：科学出版社，1985.

[121] 刘菊红，韩国栋，张彩琴，张军. 基于相位图分析法研究羊草与大针茅的种间竞争关系 [J]. 干旱区资源与环境，2017 (9).

[122] 唐旸，熊蕾. 动态优化问题中的相位图分析 [J]. 湖北社会科学，(1)：100-101，2004.

[123] 杨位钦，顾岚. 时间序列分析与动态数据建模 [M]. 北京：北京工业学院出版社，1986.

[124] 张树京. 时间序列分析简明教程 [M]. 北京：清华大学出版社，2003.

[125] 乔治·E.P.博克斯，格威利姆·M.詹金斯. 时间序列分析：预测与控制 [M]. 北京：机械工业出版社，2011.

[126] 吕金虎，陆君安，陈士华. 混沌时间序列分析及其应用 [M]. 武汉：武汉大学出版社，2002.

[127] 马社祥，刘贵忠，曾召华. 基于小波分析的非平稳时间序列分析与预测 [J]. 系统工程学报，51 (4)：305-311，2000.

[128] 程瑜蓉，郭双冰. 基于混沌时间序列分析的股票价格预测 [J]. 电子科技大学学报，32 (4)：469-472，2003.

[129] 徐峰，汪洋，杜娟，叶疆. 基于时间序列分析的滑坡位移预测模型研究 [J]. 岩石力学与工程学报，30 (4)：746-751，2011.

[130] 莫勒. MATLAB 数值计算 [M]. 北京：机械工业出版社，2006.

[131] 郑长桥. 临汾中小煤矿安全生产监管体系研究 [D]. 西安：西安理工大学，2017.

[132] George. A. Anastassiou. Advances on Fractional Inequalities [M]. Springer New York，2011.

[133] J. A Tenreiro. Machado. A probabilistic interpretation of the fractional-order differentiation [J]. Fractional Calculus & Applied Analysis，6 (1)：73-80，2003.

[134] B. G. Xin, J. H. Ma, T. Chen, and Y. Q. Liu. A fractional model of labyrinth chaos and numerical analysis [J]. International Journal of Nonlinear Sciences & Numerical Simulation，11 (10)：837-842，2010.

[135] Olagoke Akintola and Gamuchirai Chikoko. Factors influencing motivation and job satisfaction among supervisors of community health workers in mar-

ginalized communities in south africa [J]. Human Resources for Health, 14 (1): 54, 2016.

[136] Ivo Petr'avs. Chaos in the fractional–order Volta's system: modeling and simulation [J]. Nonlinear Dynamics, 57 (1): 157–170, 2009.

[137] T. A. Nadzharyan, V. V. Sorokin, G. V. Stepanov, A. N. Bogolyubov, and E. Yu. Kramarenko. A fractional calculus approach to modeling rheological behavior of soft magnetic elastomers [J]. Polymer, 92: 179–188, 2016.

[138] Adreja Mondol, Rivu Gupta, Shantanu Das, and Tapati Dutta. An insight into Newton's cooling law using fractional calculus [J]. Journal of Applied Physics, 123 (6): 064901, 2018.

[139] Caroline. E. Wagner, Alexander. C. Barbati, Jan Engmann, Adam. S. Burbidge, and Gareth. H. Mckinley. Quantifying the consistency and rheology of liquid foods using fractional calculus [J]. Food Hydrocolloids, 69: 242–254, 2017.

[140] Roberto Garra, Francesco Mainardi, and Giorgio Spada. A generalization of the lomnitz logarithmic creep law via Hadamard fractional calculus [J]. Chaos Solitons & Fractals, 102, 2017.

[141] Abdon Atangana. Derivative with two fractional orders: A new avenue of investigation toward revolution in fractional calculus [J]. European Physical Journal Plus, 131 (10): 373, 2016.

[142] A. Jaques, C. Da Silva, N. Duru, and T. Seal. Fractional calculus application for diffusion controlled leaching column testing [J]. International Journal of Mineral Processing, 2017.

[143] Ito Yu. Extension theorem for rough paths via fractional calculus [J]. Journal of the Mathematical Society of Japan, 69 (3): 893–912, 2017.

[144] Hristov, Jordan. Diffusion models of heat and momentum with weakly singular kernels in the fading memories: How the integral–balance method can be applied? Thermal Science. 19 (3): 947–957, 2015.

[145] 吴强, 黄建华. 分数阶微积分 [M]. 北京: 清华大学出版社, 2016.

[146] Michele Caputo. Linear models of dissipation whose Q is almost frequency independent II [J]. Geophysical Journal International, 13 (5): 529–539, 1967.

[147] M. Caputo and M. Fabrizio. A new definition of fractional derivative without singular kernel [J]. Progress in Fractional Differentiation and Applications, 1 (2): 73-85, 2015.

[148] Abdon Atangana and Dumitru Baleanu. New fractional derivatives with non-local and non – singular kernel: Theory and application to heat transfer model [J]. Thermal Science, 20, 2016.

[149] Badr Saad. T. Alkahtani. Chua's circuit model with Atangana – Baleanu derivative with fractional order [J]. Chaos Solitons & Fractals the Interdisciplinary Journal of Nonlinear Science & Nonequilibrium & Complex Phenomena, 89: 547-551, 2016.

[150] Obaid Jefain. Julaighim Algahtani. Comparing the Atangana – Baleanu and Caputo-fabrizio derivative with fractional order: Allen Cahn model [J]. Chaos Solitons & Fractals, 89: 552-559, 2016.

[151] Chun Yin, Yuhua Cheng, ShouMing Zhong, and Zhanbing Bai. Fractional order switching type control law design for adaptive sliding mode technique of 3d fractional order nonlinear systems [J]. Complexity, 21 (6): 363 – 373, 2016.

[152] Bo. Yu and Xiaoyun Jiang. A fractional anomalous diffusion model and numerical simulation for sodium ion transport in the intestinal wall [J]. Advances in Mathematical Physics, 2013, (2013-7-28), 2013 (18): 123-128, 2013.

[153] J. Chen, Z. Zeng, and P. Jiang. Global Mittag – Leffler stability and synchronization of memristor – based fractional – order neural networks [J]. Neural Networks the Official Journal of the International Neural Network Society, 51 (3): 1, 2014.

[154] Baogui Xin and Yuting Li. 0-1 test for chaos in a fractional order financial system with investment incentive [J]. Abstract and Applied Analysis, 2013 (2014): 10, 2013.

[155] Diethelm Kai, Neville. J. Ford, and Alan. D. Freed. A predictor-corrector approach for the numerical solution of fractional differential equations [J]. Nonlinear Dynamics, 29 (1-4): 3-22, 2002.

[156] Diethelm Kai, Neville. J. Ford, and Alan. D. Freed. Detailed error analysis for a fractional adams method [J]. Numerical Algorithms, 36 (1): 31 –

52, 2004.

[157] Kai Diethelm. Increasing the efficiency of shooting methods for terminal value problems of fractional order [J]. Journal of Computational Physics, 293: 135-141, 2014.

[158] Lijing Zhao and Weihua Deng. Jacobi-predictor-corrector approach for the fractional ordinary differential equations [J]. Advances in Computational Mathematics, 40 (1): 137-165, 2012.

[159] 任辛喜. 关于连续统假设若干史实的注记 [J]. 首都师范大学学报 (自然科学版), 26 (1): 12-15, 2005.

[160] 龚光鲁, 钱敏平. 应用随机过程教程 [M]. 北京: 清华大学出版社, 2004.

[161] Stefan Siegmund, Christine Nowak, and Josef Diblik. A generalized Picard-Lindelöf theorem [J]. Electronic Journal of Qualitative Theory of Differential Equations, 2016 (28): 1-8.

[162] Zonghong Feng, Fengying Li, Ying Lv, and Shiqing Zhang. A note on Cauchy-Lipschitz-Picard theorem [J]. Journal of Inequalities & Applications, 2016 (1): 271, 2016.

[163] 路荣武, 王新华, 李丹. 矿业安全生产与监察的进化博弈分析 [J]. 山东科技大学学报 (自然科学版), 31 (5): 37-40, 2012.

[164] Xinzhu Meng, Lu. Wang, and Tonghua Zhang. Global dynamics analysis of a nonlinear impulsive stochastic chemostat system in a polluted environment [J]. Journal of Applied Analysis & Computation, 6 (3): 865-875, 2016.

[165] 杨俊青, 赵卫娜, 杨卓耸. 炭资源型地区非国有企业薪酬、盈利与吸纳农业劳动力研究——基于山西数据的分析 [J]. 经济问题, 2014 (12): 91-97.

[166] 蔡玲如, 王红卫, 曾伟. 基于系统动力学的环境污染演化博弈问题研究 [J]. 计算机科学, 36 (8): 234-238, 2009.

[167] 李华炜, 唐佳. 低瓦斯矿井瓦斯爆炸事故剖析与应对措施 [J]. 矿业安全与环保, 33 (4): 62-63, 2006.

[168] 陈娟, 赵耀江. 近十年来我国煤矿事故统计分析及启示 [J]. 煤炭工程, 1 (3): 137-139, 2012.

[169] 王龙康, 李祥春, 李安金, 等. 我国煤矿安全生产现状分析及改善

措施 [J]. 中国煤炭, 42（9）：96-100, 2016.

[170] 王丽. 中国煤矿瓦斯突出灾害事故规律与管理对策研究 [J]. 中国煤炭, 42（11）：104-109, 2016.

[171] 骆文琼. 国有煤矿企业收入分配制度改革研究 [J]. 煤炭经济研究, 34（8）：65-68, 2014.

[172] 王润稼. 企业文化影响下的员工个体独立性探析. 北京行政学院学报, （1）：83-88, 2014.

[173] Taylor, P. D. and Jonker, Leo B. Evolutionary stable strategies and game dynamics. Mathematical biosciences, 1978, 40. 1-2：145-156.

[174] SAMUELSON, Larry；ZHANG, Jianbo. Evolutionary stability in asymmetric games. Journal of economic theory, 1992, 57. 2：363-391.

[175] 田水承, 李停军, 李磊, 等. 基于分层关联分析的矿工不安全行为影响因素分析 [J]. 矿业安全与环保, 2013（3）：125-128.

[176] 兰泽全, 李刚强. 煤矿特别重大事故统计分析 [J]. 华北科技学院学报, 14（2）：72-77, 2017.

图书在版编目（CIP）数据

煤矿生产安全管理系统中多方博弈与控制策略/路
荣武等著 . --北京：应急管理出版社，2019

ISBN 978-7-5020-7658-0

Ⅰ.①煤… Ⅱ.①路… Ⅲ.①煤矿—安全生产—生产
管理—研究 Ⅳ.①TD7

中国版本图书馆 CIP 数据核字(2019)第 177958 号

煤矿生产安全管理系统中多方博弈与控制策略

著　　者	路荣武　于　灏　王家坤　王新华
责任编辑	史　杰
编　　辑	王　晨
责任校对	陈　慧
封面设计	雨　辰

出版发行　应急管理出版社（北京市朝阳区芍药居 35 号　100029）
电　　话　010-84657898（总编室）　010-84657880（读者服务部）
网　　址　www. cciph. com. cn
印　　刷　北京建宏印刷有限公司
经　　销　全国新华书店

开　　本　850mm×1168mm$^1/_{32}$　印张　8　字数　203 千字
版　　次　2019 年 10 月第 1 版　2019 年 10 月第 1 次印刷
社内编号　20192365　　　　　定价　38.00 元